LA VIE ET L'ŒUVRE D'OEDIPE ROY
de Jean-François Bonin
est le cent trente-cinquième ouvrage
publié chez
VLB ÉDITEUR.

La vie et l'œuvre d'Oedipe Roy

Jean-François Bonin
La vie et l'oeuvre
d'Oedipe Roy
roman

vlb éditeur

VLB ÉDITEUR
918, rue Sherbrooke Est
Montréal
H2L 1L2
Tél.: 524.2019

Maquette de la couverture:
Mario Leclerc

Illustration de la couverture:
John Brandard: *King of the castle*, 1858

Photocomposition:
Atelier LHR

Distribution en librairies et dans les tabagies:
AGENCE DE DISTRIBUTION POPULAIRE
955, rue Amherst
Montréal
H2L 3K4
Tél.: à Montréal —- 523.1182
        de l'extérieur —- 1.800.361.6894
                        —- 1.800.361.4806

À Monique Bosco

Entrée en matière au jardin du roi

> Car enfin, vous-même, Monsieur, vous seriez aussi vieux
> que moi, si, comme l'écrevisse, vous avanciez à reculons.
>
> Shakespeare,
> *Hamlet*

J'aime me souvenir qu'un jour de vendredi saint, le 13
avril 1979, attablé devant ma propre solitude, m'apparut un jeune homard, les pinces en miroir, qui se balançait à peine pendu, sur un perchoir construit de multiples bâtons de popsicle; il se laissait aller à quelques ventriloqueries qui, si on comprend le langage de ces crustacés, ne signifiaient à peu près rien, sauf ceci: j'étais condamné à occire mon père, dans les heures les plus brèves ainsi que les plus prochaines.

Ce jeune homard avait le foie d'un pigeon; c'est ce qui lui fit rendre l'âme ainsi que tout ce qu'il avait dans le corps, non sans avoir débité, un peu dépité, que je me verrais également obligé, aussi surprenant que cela puisse paraître, de faire bientôt l'amour à ma mère.

Après avoir fait bouillir de l'eau, je déposai mon étrange devin dans son chaudron, pour ensuite garnir mon estomac de sa chair succulente.

Dehors, sur la rue Saint-Denis, il faisait aussi soleil que dans n'importe quel ouvrage où l'auteur décide qu'il fasse soleil, et je laissai mes pas s'amadouer pour ce que l'on nommat, dans l'antan, la grande Rivière du Canada, histoire d'aller humer l'air du Vieux: mais je n'avais guère franchi une centaine de pas, que je me sentis tout à coup comme dangereusement incertain de leur destination première, et me rendis compte que je n'avais pas du tout envie de visiter le Vieux-Montréal, cet après-midi-là, pour des raisons qui ne regardent que moi.

Ah! pouvoir être transmué en Boris Vian, me fis-je la réflexion, soudainement mal dans ma peau, girouette incertaine de mon désir directionnel, et m'exclamer, l'esprit encore rempli de l'écume des jours:

> «Collin avait complètement oublié, ce matin-là, que par-dessus ses salopettes à pois, il avait enfilé des bretelles bleu blanc rouge, celles-là mêmes que le général de Gaulle avait portées lors d'un célèbre discours prononcé du haut du balcon de l'hôtel de ville de Montréal, en 1967; car Collin collectionnait tout ce qui avait pu toucher de près ou de loin à cet illustre libérateur français; ensuite de quoi il se sentit brusquement soulevé de terre, pareil au projectile du lance-pierre qui atteignit le géant Goliath en plein front, pour se retrouver, deux cents mètres plus loin, sur les marches de la bibliothèque anciennement connue sous le vocable de Saint-Sulpice, ses bretelles s'étant par mégarde accrochées aux cornes d'un rhinocéros qui trottait son jogging quotidien.»

Par malheur, je n'étais pas Boris Vian.

Je ne m'inquiétais pas moins de la manière de m'y prendre pour faire volte-face sans risquer trop de disgrâce, un peu comme quelqu'un qui aurait soudainement la volonté de quitter le Canada sans vouloir s'éloigner de la province de Québec.

La vitrine de la galerie d'art Morency me vint, si je puis dire, heureusement en aide; avais-je réellement voulu m'acheminer vers le Vieux-Montréal, me demandai-je, tout emberlificoté dans mon devenir, en contemplant les tableaux qui se présentaient à ma vue?

La badauderie est devenue parfois problématiquement difficile pour le commun des mortels, en cette fin du vingtième siècle, pensai-je, mine de rien, n'ignorant pas qu'il faut bien manger ses œufs et ses tartines lorsqu'ils sont commandés, et en entamant une marche arrière, mais par le devant, pour me retrouver aussitôt dans la direction du Carré Saint-Louis.

La tristesse, fille de l'inquiétude, continuait à semer de la grisaille sur mon humeur, alors que les rues et les ruelles désertiques apaisaient les courants d'air d'où mon être criait que le vin ne serait pas tiré, tandis que le Mont-Royal, aimable mamelon forestier de notre nécropole, me vit graviter jusqu'à lui.

Et alors, je fus forcé d'ouvrir les guillemets tentateurs.

«Lorsque l'on a annoncé, à la face du monde entier, à grands coups de canon, provoquant ainsi des irruptions cutanées dans les distingués palabres de tous les salons de basse et de haute distinction, pareillement à ce qu'eût pu causer la nouvelle du mariage de la jeune veuve d'un ancien président des États-Unis avec le ramassis des chromosomes d'un richissime armateur grec, que j'allais tenter de circonscrire l'Oedipe québécois, j'étais en route, à bord d'une roulotte de bohémiens, en direction de Montréal l'impure, et je ne me figurais pas que semblable entreprise ait pu avoir, par la suite, la possibilité de faire tant d'éclat.

«Tout cela, parce qu'au fond d'un puits désaffecté, j'avais repêché une vieille et décidément pauvre lettre, dont personne n'aurait sans doute jamais voulu, et où on assignait à son destinataire la lourde tâche de mener à bien une pareille démarche.

«Voici donc, tel qu'il m'a été ordonné de le faire, de morte voix, celle de l'écrit:

«Les aventures d'Oedipe Roy et de sa baguette magique dans les égouts d'une sale réalité et dont la croix sur le mont fait figure de bouffonnerie carnavalesque.»

À peine eus-je cessé de tenir la bride à ma grande Éloquence, jument empruntée à l'ambassadeur des Îles-de-la-Madeleine aux Nations-Unies, que je vis et entendis, comme en écho, un cheval dont les sabots, dans leurs sonorités, inclinaient les hirondelles à me faire tourner vivement de l'œil.

Qui suis-je? Où suis-je? That's the two fucking

questions, me surpris-je à évoquer devant mon inquiétude grandissante.

La route sur laquelle je m'aventurais, étalait son brun tracé et je ne m'interrogeais pas afin de savoir si elle ressemblait, cette route, à un cordon ombilical qui n'aurait jamais été menacé du coup de ciseaux, pas plus que je n'avais moi-même été menacé d'un coup de couteau. Mais je me souviens, qu'hésitant devant le chemin à suivre, divisé en moi-même comme par une fourche, avant qu'on ne vienne, sans aucune forme, m'intimer l'ordre de m'ôter de là, et que je ne riposte par la manière forte, avant tout cela donc, je me souviens que ma dernière pensée avait été celle-ci: «Mon père est un horloger.»

Entre-temps, j'étais devenu un assassin. Et lui, mon maintenant plus que jamais macchabée, il gisait sur le chemin de terre qui serpente sa couronne en-dessous du point ultime de la montagne baptisée royale en l'honneur du roi de France François 1er, par Jacques Cartier.

À propos, Du Mont, c'est mon nom.

Si, par hasard, le savoir-vivre exquis dont tu es, lecteur, heureux lecteur, digne dépositaire et non moins digne détenteur, te pousse à laisser échapper un «enchanté» hors de ton clapier, eh bien, sache qu'il t'est rendu, cet «enchanté», tout ficelé qu'il soit, comme un saucisson de Bologne.

Cela dit, je viens d'occire mon paternel, et cela m'est un drame.

Je n'en ai pas encore le cou qui se détache, mais ça viendra, me quand dira-t-on, vers cinq heures de la matinée, aux antipodes de la folle circulation, de l'indescriptible et folle circulation, à l'heure où les taureaux espagnols se meurent de ne plus rêver.

J'aurais préféré, je l'avoue, me nommer Du Pont, comme ma mère, du temps où elle était fille, ma mère, la très belle Aurore. Mon père, avant que je ne le tue, répondait au nom d'Adolphe Du Mont. Maintenant, il n'existe plus ou si peu; à part de: ci-gît l'enveloppe pseudo-corporelle de la vie de monsieur Adolphe Du Mont, C.A., que pourrait-on ajouter d'autre?

C.A.? Pour comptable agréé. J'eusse aimé, depuis que je sais mes lettres, qu'il se fût désigné par C.R. Avoir un père C.R., c'aurait été beaucoup plus reluisant que d'avoir un père C.A., car cela eût signifié que j'aurais été le fils d'un conseiller de la Reine... à cause de la Reine... du front qui est encore rouge de ses baisers. On ne choisit pas le sexe de ses parents.

Je me nomme Rodolphe Du Mont. J'ai vingt-quatre ans et me dirige allégrement vers mes trente-sept. Un peu farfelu sur les bords, je viens de tuer mon animal de père. Vous le savez, mais moi, pas assez. Je ne peux croire que cette carcasse toute ensanglantée, qui gît à mes pieds, ait été celle d'un homme de ma si proche connaissance.

Cela me dépasse.

Subitement, je crois que le ciel s'assombrit; va-t-il me tomber bassement sur le caillou? C'est fréquemment ainsi, le jour du Vendredi saint, vers ces heures-ci de l'après-midi, on lève le nez vers la haute verrière, et même quand elle paraît toute bleue, on surveille un assombrissement, comme si illusoirement, la pollution, même elle, cette canarde à gueule de grenouille invétérée, pouvait, à la lueur du grand Mourant, se pencher quelques secondes vers la noblesse de l'infini.

On dit alors que la figure de l'arc-en-ciel possède le visage gourmé de la folie et que d'Ulysse en Olympe, en passant par le Cyclope, le troisième œil est crevé. Et on fuit.

Mais où fuir? Une bouche d'égout vient à notre rescousse.

De ses quelques petits orifices, elle m'invite à prendre la poudre d'escampette de ma baguette et de faire ce qu'elle nomme «un voyage intérieur». Je la dévisage, éberlué.

Mais cela ne s'arrête pas là, car elle me convie à celer le tout en me baisant sur la bouche, la bouche d'égout. Je ne puis résister, comme on dit dans de ridicules plats de résistance littéraires, dont l'esprit de cet écrit ne demeure pas moins un reflet très divers, n'en ayons pas l'ombre d'un doute, et vite, j'obtempère à son invite.

Après ce baiser, je soulevai le couvercle de la bouche et y pénétrai non sans avoir précédemment cherché si quelqu'un ne se pointait point la silhouette à l'horizon.

Eh oui, comble de la misère noire, il y avait du monde à proximité. J'étais déjà à moitié engagé, que mon frère, accompagné de nos deux sœurs, s'en venaient. J'allai pour m'enquérir de l'état de leur respective santé, quand je vis que par chance inouïe, mes sœurs et frère, l'âme passablement accablée, gardaient la tête penchée; il n'y avait que le croque-mort qui, guilleret, à l'intérieur de son tuxédo, se moquait de la vie, tout en écoutant les oiseaux se casser le cri sur le silence d'un trois heures de l'après-midi, par une journée du Vendredi saint de l'an de grâce d'à peu près n'importe quelle année.

Un, deux, trois, j'y vais.

Plaît-il?

Un, deux, trois, j'y vais, que je dis.

Après ce bref et inutile moment d'anodin et parsemé éclaircissement, je laissai doucement la bouche d'égout se refermer sur moi-même.

Il faisait noir comme dans le trou de cul du diable. À tâtons, je descendis les échelons. Soudainement et à vau-l'eau, j'entendis le clapotis se faire de plus en plus humide.

Des voix me criaient intérieurement: «Jonas, n'oublie pas de rapporter une étincelle de la nuit.»

Une autre voix, toute solitaire et extérieure cette fois, me traita d'innocent. Qui osait s'interférer dans la froide et silencieuse agonie de ces sinistres lieux? C'était la voix du frère Lafortune. Je la reconnus tout de suite, de même que la fétide haleine qu'il nous expirait en plein nez il y a de cela une vingtaine d'années, fétide haleine qui s'empressa, en passant précipitamment par mes narines au sein de mes poumons, de corroborer l'étonnement précédemment ressenti, celui de me retrouver en compagnie de mon ancien titulaire de troisième année d'école primaire.

Il chantonnait, le bougre de macareux.

Je l'empoignai par le collet romain, et lui demandai, en le soulevant d'un pied de terre, un pied d'eau:

«Qu'est-ce que ça signifie, toute cette plaisanterie? Me retrouver, moi, Rodolphe Du Mont, de saine et robuste complexion, d'un caractère plutôt naïf et viril, par un bel après-midi du mois d'avril, alors qu'on ouvre les fenêtres dans les asiles, enfermé comme un rat dans les égouts de cette île?»

Le teint de cire jaunâtre de mon interlocuteur et sirupeux ancien professeur ne fit apparaître aucun signe de détente ni de gêne ou de crainte.

— Tu vas parler, mon christ, que je lui lançai avec force agressivité.

— Oui, me répondit-il simplement, en me traitant d'innocent une seconde fois, mais dépose-moi auparavant, continua-t-il en me faisant subir le mauvais traitement du mot innocent à une troisième reprise.

Je le laissai tomber froidement et il se retrouva en face de moi, dans la flotte jusqu'aux rotules.

— Alors, fis-je?

— Tu vas baiser le cul de ta propre mère, me répondit le singulier personnage.

Le silence se fit, très autonome, presque britannique et j'avais l'impression d'avoir déjà entendu cela quelque part, vers les années 67.

— Et qu'est-ce que ça vient faire dans cet égout? lui demandai-je avec une certaine sagacité, avec une sagacité certaine.

Il n'eut pas le temps de me répondre, qu'un glouglou, à mi-chemin entre le cri d'un dindon et celui que produit une bouteille dont le liquide se déverse, attira mon attention, histoire d'un bref aller-retour à l'intérieur de moi. Lorsque je revins à la surface, le frère Lafortune avait disparu, et il ne me restait que le nauséabond parfum de son haleine pour réussir à me souvenir de son très récent éloignement.

Mine de rien, quoique baignant dans l'insécurité la plus complète, je continuai mon chemin.

J'espérais pouvoir prendre la voie du nord-ouest, direction approximative de mon refuge quotidien, tout en criant un «frère Lafortune» de temps en temps, car j'avais la sainte frousse de me faire happer une oreille par un rat; moi qui ne prie pour ainsi dire jamais, j'invoquai saint Vincent, patron de Van Gogh, afin qu'on ne m'en croque point une.

Peu après cette prière, indécis sur le choix à suivre, en plein carrefour, je m'entendis interpeller.

«Rodolphe, pssst...»

Surpris, je me retournai vers l'endroit d'où cette apostrophe dûment personnelle semblait provenir.

Je m'approchai et reconnus l'aspect familier de ma charmante et très douce maman, mais était-ce bien elle? En tout cas, il s'agissait là d'une ravissante petite mère; habillée d'un pantalon en soie noire et d'un chemisier blanc du même tissu, elle créait un douloureux alliage auprès de ces lugubres murs d'un pachydermique estomac souterrain.

«Mère», fis-je.

Elle ne répondit pas, mais me signifia son désir de

me voir la suivre. Je n'hésitai point, cela va sans dire, et lui emboîtai le pas.

Après un détour, nous débouchâmes sur une pièce immense et boisée, dont l'éclairage offrait une couleur d'or à tout le voisinage.

Des livres, des centaines et des milliers de livres, magistralement reliés, nous entouraient, parfaitement cordés et alphabétiquement ordonnés.

Une grande table faisait le centre de tout cet appartement tandis qu'un confortable fauteuil, face à un feu de foyer, comblait mon attente. Mis en confiance par l'ambiance environnante, je ne tardai point à m'endormir.

Dans les profondeurs de cet assoupissement, je me sentis catapulté au milieu d'une multitude de flocons de neige moirée, et me laissai raconter une histoire, une fable, ou quelque chose de ce genre, qui portait le titre de *Entrée en matière au jardin du roi*.

À la fin de cette histoire, ma mère, ou celle que j'avais pris pour telle, m'apparut dans son plus simple appareil et s'étendit langoureusement sur la grande table de la pièce où je me trouvais.

Après d'augustes ébats dont je ne vous dis presque rien sinon que ma compagne put assouvir chez elle le désir de devenir une rivière au cœur qui coule, roule et qui roucoule, elle recueillit, afin que de mon cerveau lent je puisse extraire la blanche matière régurgitée à petites secousses sismiques par ma plume d'aigle noir, la sève de nos transgressions ithyphalliques et pioupiesques, et en introduisit la substance dans une bouteille d'encre, en me disant: «Tiens, maladroit, maintenant, écris.»

Et c'est ainsi que fut composé ce conte, sans qu'il ait été fait mention de ce qui a pu advenir d'Oedipe, après Colone, mais ça viendra, si tu ne désespères pas, lecteur, imminent lecteur, du but ultime de celui qu'il me plaît d'appeler un baladin de ton inconscient. En attendant d'entendre la voix de cet esprit qui marche, je me demande bien, la cendre de mon art tombée, si je vais aller passer, si je dois aller passer les Parques à New York.

Entre-temps, je me serai fait couper une partie de doigt, l'annulaire gauche. C'est la vie.

SECONDE VISION DU MYTHE

La gadoue

La danse macabre de Saint-Saëns, qui la connaît? «Moi. Moi», répondis-je parmi les brouhahas du verbe. Mais je me présentais en retard. Au rendez-vous de ma vie. Plus qu'étonnamment en retard. Cet ombrageux soleil qui sombre de ses rayons, ne l'avais-je jamais entendu gronder quelque part d'autre?

Intérieurement?

Sous la danse macabre de Saint-Saëns, je pénétrai dans les verts jardins malachites du roi.

Le silence s'y fit.

Des feuillages à moitié abîmés le jonchaient de toutes parts.

De chaque côté d'un triangle isocèle dont les points d'angle étaient respectivement tenus par le héros racinien Britannicus, par le Nelligan, vaisseau d'or ayant sombré dans les abîmes du Rêve, vers 1900, et le dernier par le diable lui-même, ma mère et mon père disparaissaient à mesure que je commençais.

Mais «commençais» quoi?

Un instant que j'y réfléchisse.

La gadoue. Il n'y a pas d'autre mot.

Sous les dehors d'un interrogatoire, elle se réfugie, la gadoue. Elle se délivre de ses vêtements trop et uniquement pesants. Elle s'oublie, se forgotte, se baigne dans le sein des seins. Toute nue, elle n'en peut plus. Elle se détache d'elle-même.

Humidement parlant.

Un cri à l'abri de tout soupçon, un cri de délivrance et d'agonie, la qualifiera dorénavant. Elle a soif d'impuissance, et elle s'en doute.

Mais qui est-elle, cette impuissance, recouverte sous

les convoitises des serpents qui la tourmentent?

Qui est-elle, cette aimée?

La gadoue ne le sait pas elle-même et en devient toute écarlate et aussi marrie de déplaisir qu'un marchand de raisins de Corinthe dans l'œuf du ventre de sa maternelle. Ô funeste ignorance, pense-t-elle. Ô disgracieuse et trop ou pas assez éloquente ignorance.

Qu'est-ce que je deviens moi-même? se demande-t-elle, toute soupirante.

Un souvenir de souriceau sur une montagne en soupirail.

À peu de chose près.

Sans autre possibilité que de prendre la tête du peloton. Stie, que c'est pesant. Mais on continue, nue et positivement déculottée. À bras raccourcis, s'il le faut. Comme une virago. Sans un traître mot du regard. Comme si de rien n'était de rien, semblable à un pélican qui larguant le déluge, dégoutte de vaseline dans une de ces machines temporelles qu'on nomme sablier.

Il était midi.

Oedipe se doutait, tout à l'intérieur de lui, qu'il devait être dans la bonne direction. Complètement abruti, au volant de sa voiture sport qu'il avait fait venir d'Italie, il avait sommairement l'impression que le paysage défilait sous la percée de l'air que projetait son bolide.

Oh, il ne se disait pas: «To be or not to be, that is the question.» Que non, l'imbécile, il se prenait pour une gazelle et n'avait que le visage d'une fillette en tête, fillette dont il s'imaginait aller continuer la conquête dans des champs de pissenlits inquiets d'être mangés par la racine.

À la radio, le chanteur débloquait son refrain; c'était bien là le seul scénario de la réalité quotidienne qui convenait, et cette humble ratatouille égrenait le chapelet auditif d'Oedipe Lamothe.

Son père, en complet et cravaté, comme cela va de

soi, le digne et illustre industriel, suivait son diablotin de rejeton, quelques automobiles en arrière. L'air de rien, tout allait très bien. Ordinaire. Poussiéreux. Poisseux.

Tout à coup, entre deux bâillements du lecteur, le père s'énerve.

Ses nerfs s'emboulent, sans même que ses roues s'embourbent, au fond de sa friable matière.

«C'est pas un cadeau, qu'est-ce que je vais faire?» se demande-t-il minablement, en ayant à l'esprit l'image de sa femme Lili qui lui apparaît, menaçante, pareille à une lame de couteau qu'un enfant découvre sur le trottoir de la ruelle des Maniaques où il jouait lorsqu'il était tout petit garçon.

En ce temps-là, la petite fleur à son cerveau ne mijotait pas de mauvais plans en habillant l'espoir du deuil de voir mourir quelqu'un.

Que faire?

Son fils, son abruti et rejeté garçon, les longs cheveux en béton, les yeux en néon, dont Lili prend toujours la défense, lorsque lui-même, Indésiré Lamothe, à bout de jalousie et de suspense, se délivre de ses cocons mortuaires, ralentissait.

Indésiré comprend: «La bonne âme, le bon Samaritain, il s'arrête afin de prendre un pouceux à bord.»

Indésiré ne pouvait plus faire autrement, et au risque de se faire reconnaître, car Oedipe sait que le pseudo-auteur mâle de ses jours possède une automobile de marque *Oiseau de feu*, il appuie sur le champignon, la salive sèche derrière sa pomme d'Adam, emporté par le pouvoir importé de son pouvoir, et déjà, il dépasse, absurde vélocité, la voiture arrêtée de son fils dont la porte avant droite est tirée par l'imminente arrivée du prochain compagnon d'Oedipe.

Son prochain compagnon, c'est moi. Et je ne suis pas un compagnon. Je suis une compagne.

— Où allez-vous? me demanda le chauffeur.

— Dans les profondeurs du sexe, ne lui répondis-je pas.

— Dans celles du mensonge, ne put-il s'empêcher de ne pas me répondre à son tour.

— Au Bourg dit Des Mûres de Maïs, finis-je par dire.

— J'y vais aussi.

— Alors j'embarque.

Le silence, tout momentané, se produisit.

— Ça va, le pouce? me demanda Oedipe.

— Très bien merci, et vous? lui répondis-je.

— Eh bien, moi, non, ça ne va pas.»

Et il me dégotta cette prochaine histoire que j'ai finement et patiemment enduite de simplicité pour celui ou celle qui la lit; je me mets donc à sa place, et j'écris:

> «À peine eus-je l'excellente idée de recueillir une désirable pouceuse qui faisait le bord de la route, à peine lui eus-je demandé si ça allait bien, le pouce, qu'elle me demanda de stopper à nouveau mon engin afin d'accueillir un troisième larron qui silhouettait en bordure, lui aussi, de mon chemin.»

Nous fermons ici temporairement les guillemets, car il y a des choses qu'Oedipe ne parvient pas encore à émettre par lui-même.

Ici, donc, Oedipe eut peur à deux reprises, mais il obtempéra à mes désirs. Reprenons son cours.

> «Je m'aperçus que le soldat, car c'en était un, faisait deux fois la grosseur d'un homme ordinaire. Je me demandai, en taquinerie, si le siège arrière de mon automobile pourrait recevoir un pareil mastodonte. Il était, par ailleurs, très poli, et commença par me dire: «Merci, vous êtes fort gentil, cela faisait quatre bonnes heures que j'attendais.»

— Remerciez plutôt mademoiselle, lui répondis-je, c'est grâce à elle que vous méritez de ne plus baigner dans la gadoue.

— C'est exact, la terre et le ciel bavent de gadoue, reprit le nouvel arrivant, après s'être installé.

— Notre frère le soleil est pour le moins absent, précisa celle qui, je l'appris par après, se nommait Noémie ou Lysandre, selon le point de vue, celle-là même qui vous a fait des accroire tout dernièrement, ami lecteur, en prétendant que je m'appelle Oedipe; or, Oedipe, c'est un autre; moi, je réponds au prénom d'Hector.

— Comme de Saint-Denys Garneau, fit l'écho, dans sa cage.

— Comme de Saint-Denys Garneau, repris-je en homme de bonne et parfois même de très bonne volonté.

La route était immense.

— Vous êtes soldat, interrogeai-je très affirmativement l'hippopotame qui causait le profond déséquilibre dont mon auto était la porteuse.

— M'oui, répondit l'individu. Je m'en vais à la base de Ville du Roy, à mi-chemin entre Ottawa et Toronto, à Kingston, si vous préférez, continua-t-il.

— Oh, je ne préfère pas, émis-je, distraitement.

Le passage paissait grassement et ne laissait présager aucun changement.

— Vous êtes le possesseur d'un joli petit carrosse, me souligna l'énergumène.

— Oui, la superfinition est impeccable, lui répondis-je.

— Combien ça vaut, une patente comme ça?

— Cher.

— Oui, émit ma voisine du devant.

— Quoi, oui? fis-je, surpris.

— Tu m'as appelée?

— Si tu veux, repris-je condescendant ou tout au moins peu chicanier.

Nous arrivâmes en vue du Bourg dit Des Mûres de Maïs, connu aussi sous le nom de Cornwall, en Ontario de l'est.

— Où est-ce que je vous dépose? demandai-je au plus offrant.

— Le plus loin que vous pouvez, répondit le pachyderme.

La maison parentale de la dame de mes pensées fort lointaines, quoique si immédiates, vers lesquelles maison et fille je me dirigeais, s'érigeait à peu près au milieu de la ville, et c'est là que le gros de l'armée descendit, alors que quelque peu pantois, j'entendais un orchestre de bonne renommée auquel la voix de mon cœur en écharpe étoilée répondait unilatéralement.

— Eh bien, j'arrête ici, osai-je proférer, le moteur de mon auto abattu.

— Moi aussi, prononça ma compagne, j'ai juste le temps de vous remercier, car le camion que mon frère a volé se pointe à l'horizon; je m'appelle Noémie, ou Lysandre, selon le point de vue, me cria-t-elle, en faisant des gestes énergétiques afin que du poids lourd de son frère, on la remarque et la fasse monter à bord.

Pendant ce temps-là, mais je l'ignorais, mon père s'était perdu dans la gadoue.

L'étrange destin de Monsieur Spock

Trois fois passera, la dernière, la dernière, trois fois passera, la dernière restera.

Comptine d'enfants

Pour Cordélia Lear

Chez nous, deux grandes fêtes se partagent le sentiment de tous, deux grandes fêtes qui ont lieu, à un jour près, à six mois d'intervalle, l'une qui suit de quelques jours le début officiel de l'hiver, et l'autre qui sait sensiblement de même au commencement de l'été.

C'est pendant l'époque des réjouissances populaires entourant cette seconde que je rencontrai Bernadette pour la première fois.

J'étais en train de relire *L'étrange destin de Monsieur Spock*, finement relié, orné et publié aux Éditions du Diable sonnant, lorsqu'on cogna à la porte de mon appartement.

Je n'attendais personne, un peu comme Ulysse, qui, si ma mémoire est bonne, et elle l'est, prétendit se nommer ainsi, Personne, lorsque l'aveugle Cyclope lui ordonna de décliner son identité.

On a beau se prénommer Jonathan, comme c'est mon cas, et se nommer Pearson, comme ce le fut, avoir donc tout l'air de quelqu'un qui n'attend pas grand monde, même si c'est sa fête, on n'en demeure pas moins comme tout un chacun, lorsque ça frappe à la porte. Ainsi me sentis-je, et intrigué, je me dirigeai vers le lieu de mes entrées et sorties quotidiennes, mi-rassuré sur mon humeur; en effet, depuis quelque temps, j'étais devenu la fréquente victime d'une épidémie de visites de la part de

ce genre d'individus qui désirent vous vendre de la came-
lote de paradis, alors qu'ils n'en possèdent même pas la
clef. Des témoins de Jéhovah ou de quelqu'autre secte!

Or, par un dimanche après-midi du 24 juin, tandis
que je relisais l'ouvrage précité, que j'y étais plongé en
son profond pluralisme, je ne participais pas du tout à
l'envie d'écouter de balivernes semblables, ni à contempler dans ma mémoire les visages la plupart du temps
rompus de haine que ce genre de personnes vous
décernent lorsqu'elles se rendent compte que vous leur
fermez la porte au nez, visages qui feraient craindre la
peste à plus endurcis que moi.

«Diable!» fis-je, en ouvrant ladite porte de ma demeure.

Une grande fille toute blonde penchant vers le roux,
d'environ dix-neuf printemps, mais à qui j'en aurais bien
octroyé vingt-sept, en sus de tout ce qu'elle aurait pu elle-
même m'offrir, les yeux d'un bleu miraculeux, à l'allure ne
ménageant pas les courbes du ravissement, me regardait
droit dans les yeux.

— Oui, dis-je, pour me remettre de mon ahurissement.

— C'est pour les incunables, me répondit-elle.

En effet, j'avais complètement oublié que deux jours
auparavant, je m'étais procuré deux livres très rares, qui
complétaient ma collection des œuvres complètes de
Jean-François Malin. Inouï, ce qui peut nous échapper
dans la vie.

— Je suis la fille de monsieur Isidore Lacasse, chez
qui vous avez déboursé bon nombre d'écus, afin de vous
rendre possesseur de ces livres.

— Enchanté, fis-je, semblablement à une flûte, vous
avez bien le temps de prendre une tasse de thé, de café,
de tisane, un brandy, un coca cola, une giboulée à
l'ananas, un daiquiri, un dry martini, une foule de petites
choses, un roi de Rome empaillé? demandai-je à ma

soudaine et bien aimable interlocutrice.

— Pourquoi pas? me répondit-elle en se départissant de son fardeau dans mes bras.

Après l'avoir gentiment introduite, je ne pus résister à l'idée de décacheter prudemment les emballages qui protégeaient les précieux objets que venait de dûment m'apporter ma toute nouvelle invitée.

Cette dernière s'affairait déjà et s'exclama: «Pendant ce temps, je vais remplir votre canard d'eau et le déposer sur un rond de votre cuisinière.» Ainsi fit-elle, tandis que je contemplai ces œuvres d'un autre siècle. La calligraphie elle-même m'apparaissait magistralement ordonnée, à la fine pointe de l'obéissance et de l'insubordination.

— Vous connaissez cet auteur? demandai-je à ma charmante visiteuse.

— Oui, me répondit-elle naturellement et sans aucune hésitation.

— Et vous l'aimez?

— Beaucoup.

Comme il arrive fréquemment dans des cas semblables, je proférai une bêtise... comment faire autrement...?

— Eh bien, tant mieux, lui dis-je, moi aussi.

— J'aime particulièrement sa franchise, continua-t-elle.

— C'est précisément à peu près ainsi que je me nomme, lui déchargeai-je, en la surprenant quelque peu.

— Plaît-il? me répliqua la môme aux blés d'or.

Je me présentai: «Jean Lafranchise».

— Ah, je n'avais pas remarqué le nom mais seulement l'adresse du destinataire. Je m'appelle Bernadette Lacasse, me fit-elle à son tour.

Et c'est ainsi que je rencontrai Bernadette pour la première fois. Ensuite, nous bûmes de la tisane, prîmes un bain et fîmes l'amour.

Heureuse époque.

QUATRIÈME VISION DU MYTHE

Le chommeur

Assis sur une chaise en bois brun, un pupitre de même couleur et de même matériau devant lui, les yeux clairs et pourtant remplis de lichen, un enfant se meurt.

Le professeur de religion, en avant, sur sa tribune, discourt sur le thème du *Bon Pasteur*. Mais, parce que, pendant sa vie publique, le Crucifié n'aurait pas travaillé, une question chicote la curiosité de l'enfant. Pourquoi ne la demanderait-il pas, sa question; après tout, l'Église n'est pas si intolérante ni si totalitaire que cela, croit-il.

L'enfant hésite et il lève la main:

— Jésus était-il un chommeur, frère?

Le frère Dubé resta perplexe: ne chamboulait-on point le problème de sa tiédeur séculaire?

— Il n'y avait pas de chômeurs dans le temps de Notre-Seigneur, finit-il par proférer, du haut de ce qui lui tenait lieu de chaire tutélaire.

— Et qu'est-ce qu'il y avait alors? balbutia l'élève.

Le maître, embarrassé, laissa l'esprit le féconder et répondit, affirmatif: «Des hommes, Oedipe, des hommes, mon enfant.»

La cloche, à l'écoute du silence sournoisement amadoué, retint son souffle, puis retentit dans tout le collège, permettant ainsi à la classe de se terminer, aux enfants et aux maîtres de suspendre, chacun à sa manière, par un répit bien mérité, leurs scolastiques occupations.

— Oedipe! fit l'instituteur avant que le jeune Roy ne franchisse la porte de la salle de classe.

— Oui, répondit celui-ci, un peu craintif et en échappant presque son livre de latin.

— Qu'est-ce que tu veux faire quand tu seras grand? demanda le frère.

— Un chommeur, répondit Oedipe, comme si c'était là, de toute évidence, la seule réponse possible et imaginable.

Le professeur grommela tout en renvoyant le jeune homme, et en se demandant qu'est-ce que pouvait bien signifier une pareille réponse, ô juste?

«Un autre plan de nègre, s'entendit-il murmurer en effaçant le tableau noir de sa craie jaune; une billevesée», continua-t-il, en terminant sa brève réflexion.

Dehors, l'automne pleurait, en douce mouillure, et Oedipe alla rejoindre ses condisciples dans la salle de récréation, malgré le fait qu'il n'ait rien compris, et qu'il n'y comprendra jamais vraiment rien.

CINQUIÈME VISION DU MYTHE

L'explosive

pour Federico Garcia Lorca,
parce que quelques minutes avant de se faire assassiner
par les soldats de Franco, ces derniers auraient enculé le
poète, et que j'aimerais — que cela ait eu lieu ou pas —
autant mieux qu'une telle destinée ne me soit point
dévolue.

Honni soit qui mal y pense.
Devise de l'Ordre de la Jarretière,
en Angleterre

«Ça recommence, ouais, ouais, ça recommence, ouais, ouais, ouais.» Cette bribe de chanson des Baronnets, groupe de chanteurs populaires du temps de mon adolescence, à un spectacle desquels j'avais assisté dans un club de Cartierville, là même où, quelques mois auparavant, Jean-Charles Pagé, auteur de *Les fous crient au secours*, et moi, auteur de rien du tout, nous avions été nous réfugier, avant qu'un infirmier ne survienne pour nous demander de regagner notre lieu d'incarcération, cette bribe de chanson, dis-je, escaladait les précipices de ma mémoire, alors que je me dirigeais vers le bureau de mon docteur en médecine, bien des années plus tard.

«Chaque soir, je reste seul à la maison, j'ai bien peur que je vais perdre la raison... ça recommence...», continuai-je, sur le même air, avant de, c'était le signal convenu, peser à deux reprises sur la sonnette d'entrée, rue McEachran, pour signaler que c'était un patient et non pas un colporteur ou quelqu'autre individu, qui annonçait son arrivée.

Parfois, j'ai peine à croire que cette action, et bien d'autres, que je tenterai de coucher à tout venant et plus souvent indirectement que directement, sur les draps en papier blanc de mon horizon immédiat, traite bien là de la même et seule personne qui écrit ces lignes. Tant de neige a fondu sur les trottoirs depuis lors, tant de neige, de rayons d'eau, de pluie lumineuse, tant de saisons et tant de châteaux.

Serait-ce que la vie réserve parfois des surprises et que c'est là que se situe le moindre de ses agréments? «En effet», me semble répondre Rembrandt, mon chien savant, en se détendant.

«Ô surprises, ne suspendez plus vos vols!» C'est ainsi, et torturé par les événements du hasard, ayant peur de mourir sans avoir pu me résoudre à me délester de mes châteaux en Floride, malade, dangereusement démuni, sinon qu'aurais-je été faire chez ce diable de psychiatre, que j'ascensionnai pour la première fois l'immense escalier intérieur, tapissé, boisé, menant chez le docteur Tirésias.

Un homme occupait déjà une des places dans la salle d'attente, un vieux bonhomme, à ce que je pus constater, ne semblant pas issu de la dernière pluie qu'il faisait dehors, et qui, sous ses apparences, n'avait absolument pas l'air pressé, seulement un peu inoffensif.

Ce client, c'était le pape.

— Bonjour, mon révérend, lui dis-je, poli.

— Bonjour Oedipe, me répondit-il, du ton de l'évangéliste, et avec un tantinet de chant grégorien dans la voix.

Devais-je ou ne devais-je pas me pencher afin de baiser la main ornée de l'anneau papal? C'était ce que je me demandais, alors que le blanc pasteur ébauchait un léger mouvement vers ma personne, au cas où j'aurais voulu m'exécuter. C'était trop compliqué et puis, l'endroit guère approprié, me fis-je la réflexion, encore sous l'influence causée par l'étonnement que m'avait procuré cette présence étrangère, ainsi que par le fait qu'il m'ait appelé par mon prénom, moi qui ignorais tout de l'identité de ce pontife, et aurais été bien en peine de le désigner par Pie, Jean ou Pol, le douzième, le quatorzième ou le seizième.

— Vous me connaissez? me permis-je de lui demander, tout en posant mon séant. Le Grand Renieur d'homme ne répondit que mystérieusement à ma question, et faisant craquer ses jointures, il me fit cet aveu:

— J'ai énormément de difficultés avec mes ouailles.

— Ne vous en faites pas avec cela, c'est courant, lui affirmai-je, l'air de rien ou de si peu.

Mais subitement, extrayant de sous sa soutane un petit balai du genre de ceux dont les préposés aux toilettes vous époussetaient jadis les épaules dans certains clubs de nuit, il fit de même afin d'enlever les pellicules qui se seraient amoncelées en dessous des cheveux de votre serviteur, et avec un sourire endiablé de la plus grande laideur, il m'offrit une languette de gomme à mâcher que, surpris, je refusai, plutôt instinctivement qu'autrement.

Le Saint Père, ou tout au moins ce qui m'apparaissait comme tel, poussé par le mécontentement soudain que lui occasionna cette rebuffade, avec un air revêche et furieux, air que devait posséder le loup lorsqu'il enfila les vêtements de la mère-grand du petit chaperon rouge, enleva l'emballage du produit de consommation qu'il aurait aimé me voir accepter, et à mon grand étonnement, il tenta d'introduire ledit produit de force, dans ma bouche.

Si je n'avais point été un homme, je crois bien que je me serais écrié: «AU VIOL!»

Je me débattis comme un saint homard dans de l'eau bouillante, avec le résultat que nous nous sommes bientôt retrouvés sur le tapis, la robe de mon agresseur retroussée, et moi en train de lui donner la fessée. Je m'arrêtai trop tard. La Sainte Calotte avait déjà déchargé dans ses caleçons, et je voyais bien, par les nombreuses taches qui s'y étaient incrustées, qu'il ne s'agissait aucunement là de caleçons de chasteté.

— Je suis obsédé par la Sainte-Communion, me dit, penaud et essoufflé, le chef suprême de l'Église catholique romaine.

— Je vois bien ça, lui répondis-je, tout essoufflé moi de même.

C'est alors que le disciple d'Esculape fit son apparition et qu'il m'invita à le précéder dans la pièce dite de l'anamnèse réparatrice, alors que le successeur d'on sait qui explosait comme la bulle d'un phantasme de baleinier à la surface d'un océan trompeur à la non-vigilance de sa proie.

Installés chacun dans son fauteuil, le guérisseur et moi, nous nous fîmes face.

Comment s'y prit-il pour me faire avouer les dessous du traquenard déguisé en évidente subversion, le précieux homme, comment s'y prit-il pour me faire dire:

— Que je me sentais pareil à un lama dont le gosier de l'âme se dessèche au creux d'un lavabo abandonné?

— Que les cieux déchirés de mon humble et personnel pays n'en pouvaient plus de se sentir au nec plus ultra de la déconfiture morale et au pinacle d'un malaisé et très inconfortable spleen aussi peu sucré que de l'anchois?

— Que les filigranes de ma vie, tout effilochés, se déchiraient en de pauvres lambris laissant à découvert les lézardes les plus malignes?

— Que je ne savais plus faire la différence entre un occidental désorienté et un oriental accidenté, riant jaune, devant la démesure de désintégration de mon Royaume?

— Que sept jours sur sept, la mort m'apparaissait la moindre des futilités, la vie, une baliverne, et moi-même, ni plus ni moins existant qu'un ouaouaron de peluche gagné à la foire par l'insignifiance personnifiée, ou qu'un ballon de baudruche crevé par une aiguille outrancièrement pénélopsale?

— Que je me sentais aussi égaré qu'une virgule se cherchant destinée à la place d'un point, que de retentissants guillements à la solde d'une parole sourde et muette?

Enfin, bref, qu'il y a toujours des limites à ne pas avoir de limites? Je ne sais comme il fit, le ramancheur d'âme professionnel, pour me permettre de me libérer quelque peu de mon angoisse existentielle, mais je sais que j'avouai enfin, avant qu'il ne me signifie que la séance était terminée et m'accorde un rendez-vous pour la semaine suivante, que Mado m'avait savamment abandonné aux rebuts de la dérive, comme une vieille histoire sans savates, une ramure sans érable.

Dans la salle d'attente, nommée pour le moment celle de l'iconoclaste enchaîné à sa grossière indécence, il y avait un peintre qui coiffait le crâne nu d'une libellule, avec, à l'arrière, les reflets de la lune sur l'argent d'un lac complètement dément.

J'empruntai, dans le sens inverse de ma venue, l'escalier où je me sentis comme une chenille à poil à l'intérieur de son cocon, déséquilibré sous la récente confirmation de devoir remettre mon anamnèse lors de la prochaine comparution, découragé devant la servilité de mes propos demeurés emmurés sous la sainte rage d'avoir jadis laissé ma mort en inachèvement, peu avant que j'aie été mis en internement pour la première fois, sous les bons soins du docteur Tirésias, et que je me promenais dans les parterres d'un hôpital de Cartierville, fixant fréquemment les sombres et sales moustiquaires du lieu dit de «l'observation», où l'écrivain Hubert Aquin, lui aussi interné, faisait éclater son *Prochain Épisode*.

C'était il y a longtemps, que tout cela.

Le chat perché

Futilités des futilités, et tout n'est que futilités.

Admettons que je puisse me nommer Pierre-Toussaint de Toulouse-Lautrec; ce ne serait pas de ma faute, comme on raconte dans les lieux communs, ce serait plutôt celle de mes parents que je ne m'en montrerais pas autrement surpris; c'étaient de pauvres gens, mes parents, et je ne peux leur en tenir rigueur; au contraire, puisque, comme nous le chante le poète, les haillons forment la noblesse.

Chez nous, sur la terre de Saint-Aimé-du-Lac-des Îles, non loin de Mont-Laurier, dans les Laurentides, seule une vieille haridelle, sempiternellement attachée à un pieu du pré, mâchouillait, avec savoureuse patience, une herbe aussi jaune que ses dents et que les poils épars de ses naseaux.

C'était, ce cheval, l'unique moyen de subsistance par lequel notre père réussissait à joindre les deux bouts.

En effet, cette vieille bourrique, trois fois par semaine, offrait la singulière caractéristique de chier d'étonnants ronds étroncs d'or que notre père pouvait ensuite aller échanger au village contre un panier d'abricots ou une poignée de betteraves, les deux seuls aliments que les magasins fournissaient encore librement, à cette époque-là.

Un jour, elle mourut, notre haridelle, ce qui n'est guère surprenant, quand on est si vieille.

Lorsque monsieur l'abbé Fondu vint lui /abolir les idées, au hasard du jeu de la vie et de la mort, nous, les enfants, nous en réjouîmes beaucoup car nous aimions cet ecclésiastique et avions énormément de plaisir en sa compagnie.

Il possédait le rare talent de raconter de très belles histoires, des histoires de pipe pour la plupart, dans lesquelles les crapauds se transmuaient en nénuphars et les princesses en capucines.

C'est de l'une dentre elles dont je voudrais me souvenir ici, un peu à sa manière saugrenue, coutumière et si drolatique, inoubliable semence traversant le fleuve de l'imaginaire humain qui survint le jour même qu'haridelle, la vieille jument précédemment évoquée, s'effondra pour ne plus jamais se relever.

Notre père, Oedipe, prit sa pelle et commença à creuser un trou pour enterrer la dépouille de sa vieille servante, tandis que l'abbé Fondu se mit à la pioche et que nous-mêmes, les enfants, tentions de les aider ou les regardions ahaner; Laura l'Espagnole, notre mère, pour sa part, vaquait de-ci de-là, au rythme de ses occupations journalières.

À la lune levée, devant un feu que nous avions monté et allumé sur l'emplacement au-dessus d'où notre bête avait été ensevelie, l'abbé Fondu se mit à conter qu'il se souvenait d'une vie où il avait été cheval.

Rossinante, qu'il s'était alors appelé, l'abbé.

Avec son maître, le très célèbre hidalgo don Oedipe de l'Ammancha, ainsi que l'écuyer de ce dernier, Matscho Pensa, ils se dirigeaient, sabotin-sabotant, vers quelque terre promise.

Et l'abbé Fondu de s'arrêter.

Laura et Oedipe, nos respectifs mère et père, pas à l'abbé bien sûr, mais à nous, les quatre flos, entreprenaient de se peloter à qui mieux mieux, et il n'y avait rien de plus magnifique à contempler que la somptuosité de leurs peaux qui s'entremêlaient harmonieusement, s'humectaient, et se dénudaient sous la couleur du feu qui braisait.

Il ne fallait pas être un grand sorcier pour deviner qu'ils avaient changé de vie et qu'ils se retrouvaient, deux siècles auparavant, dans une auberge connue sous le nom de *L'Auberge du Charbon Ardent.*

Laura, fille unique et splendide de l'aubergiste, un aveugle, fidèle à elle-même et à sa simplicité, y remplissait les fonctions attachées au plus vieux métier du monde.

Oedipe, quant à lui, l'ancien charbonnier, la battait hardiment, car c'était un brutal qui n'entendait guère se faire escroquer par celle dont les convoitises lui permettaient de boire tout son saoul, du lever au coucher, et d'espérer ouvrir un jour l'auberge à son compte.

L'Auberge du chat Perché, qu'il choisirait alors d'appeler son établissement, songeait-il, et il ferait venir quelques courtisanes de la ville de Montréal, à qui il ne se gênerait nullement, aussi fréquemment qu'il le voudrait, de trousser les cotillons.

Laura se prêtait d'autant plus à sa péripatéticienne condition qu'elle raffolait de la dégustation des horions, et que seul Oedipe, de tous les hommes qu'elle avait rencontrés, daigna participer de bon cœur à la particularité qui la tenait ainsi tenaillée au brûlant piège du Charbon Ardent.

Ils s'étaient pris d'acoquinement alors qu'elle n'avait que quinze ans, et neuf années avaient dévalé la pente des jours depuis cette époque sans qu'elle ait pris la décision d'abandonner la pratique d'un métier dont elle était une des seules à encore prodiguer correctement les effets de baume réparateur.

— C'est comme pour les quêteux, de s'interrompre l'abbé Fondu, des authentiques, il n'en reste plus beaucoup. Fausse putain et faux quêteux sont devenus monnaie courante.

— Rien de plus vrai, nous écriâmes-nous, alors que la terre explosa comme une écorce d'orange torpillée par les flammes.

Après ce bref moment d'égarement subit, une lettre

émergea sur le sol en retombades et rodomontades; c'était Laura l'Espagnole, notre mère, qui en avait rédigé la teneur.

Cette lettre avait traversé le mur du son et en avait même fait le tour.

> «Bien-aimé, était-il écrit,
>
> «Votre protégé, celui à qui vous aviez remis en toute quiétude les clés gardiennes de ma personne, l'horrible gars Riépy, l'infâme palefrenier, n'a point su refréner l'ardeur de ses sens et se montrer ainsi à la hauteur d'un si bel absolu.
>
> «Plût aux dieux que vous ne quittâtes ni ce château ni cette terre et que vous ne vous fussiez jamais engagé dans l'armée de libération du pays, me laissant seulette aux côtés de ce sinistre individu.
>
> «Ah le coquin, le misérable, l'abominable, l'incurable, le cynique, le satyrique personnage, cause de mes malheurs et de mes souffrances, cuvant son vin à poings fermés, malgré l'orage qui gronde.
>
> «Le temps me presse et je crains d'être surprise par l'instant que ce mauvais homme choisira pour rejeter les lourdes catalognes dont le couvrent les dieux ombilicaux du sommeil; on ne dirait jamais, à le voir dormir ainsi, avec sa figure d'enfant de chœur, le monstre, qu'il se métamorphosera bientôt, dès son réveil, en ce cruel bourreau qui a été jusqu'à me faire fouetter, impardonnable perfidie, parce que je n'ai point accepté, l'impitoyable, de vous être sciemment infidèle.»

La lettre se terminait là, inachevée et non signée, étrange goutte d'or sur le rite de fond entourant le dernier de tous les cataclysmes.

Notre père Oedipe, aussitôt qu'il reçut la missive par la grâce de l'on ne sait quelles mains charitables, prit rapidement un canasson à ses rênes et il s'empressa de revenir auprès de celle qu'il avait si étourdiment quittée afin d'aller combattre les Anglois.

Mais, funeste destinée, au carrefour de quelques routes, il se fit brûler les yeux par le soleil et elle fut perdue. Quoi? L'Éternité.

C'est ainsi que le gouvernement du Québec lui adjugea une pension de handicapé visuel, au moyen de laquelle il se porta acquéreur de *l'Auberge du Charbon Ardent,* dont il changea le nom en celui de *l'Auberge du chat Perché* et qu'il ne revit plus jamais ce coureur de grands chemins, proxénète et malandrin de la dernière espèce, qui répondait au nom du gars Riépy, lequel n'était autre que lui-même.

SEPTIÈME VISION DU MYTHE

Couvre-feu

Il faut bien protéger les lampes: un coup de vent peut les éteindre.

Saint-Exupéry,
Le Petit Prince

À Émile Nelligan

Cette nuit-là, Oedipe ne prit pas le temps de mettre ses culottes à l'envers.

Que non.

Il se retrouva en jaquette et bonnet de nuit, au beau milieu de cette dernière, la nuit, en train d'échanger des propos divers avec les quidams et les quimadames groupés autour de l'embrasement de sa maison.

En fin de compte, madame veuve Linteau offrit au sinistré de terminer la nuit chez elle.

Oedipe accepta de bon cœur, d'autant plus que de passer la nuit dehors, par ce froid abitibien, ne lui souriait guère, tandis que la belle Émilie possédait des formes, ô ravissement, qui eussent pu dérider les fesses d'un vieux macchabée.

Il eut cependant une légère hésitation.

Sa femme, la douce Graziella, ne venait-elle pas de mourir dans les flammes? Qu'avait-il fait pour empêcher pareille atrocité?

Rien. Ou presque rien. À peine avait-il pris le temps de crier: «Graziella, le feu est pris!», qu'il s'était retiré du brasier sans se soucier autrement de vérifier si sa tendre moitié était entièrement éveillée.

Mais, comme lui avait si souvent répété sa vieille mère, il ne faut jamais regarder en arrière, le passé, c'est le passé.

Et puis, la vie est si courte.

Comme disait l'Autre, le Verbe Incarné, Notre-Seigneur Jésus-Christ, le Sauveur, laissons les morts enterrer les morts.

Son scrupule annihilé sous les arguments cultivés par la sagesse acquise au fil de sa vie, il monta derrière madame Linteau qui éclairait le passage menant chez elle, munie d'une lanterne.

Arrivé devant la porte du logis de la veuve, Oedipe ne put s'empêcher de regarder par la vitre de la lanterne en question, que sa prochaine hôtesse lui avait momentanément demandé de tenir, et il y contempla une maison, à l'orée du bois, et à l'intérieur de cette maison, un homme qui y vivait; un étranger, mais qui ressemblait étrangement à nul autre que lui-même, Oedipe Roy, lequel cognait déjà à la porte en bois de la cabane.

L'homme mit quelque temps avant de répondre, comme d'autres mettent quelque temps pour apprendre ou pour mieux s'échapper de la ronde. Enfin, des pas se rapprochèrent au bout desquels apparut un jeune homme beaucoup plus blond qu'Oedipe ne l'avait tout d'abord cru voir, et qui se taisait.

Oedipe l'envia.

Toute sa vie durant, il avait rêvé de se taire, terré dans sa propre solitude, avec un étranger au-dehors.

— Monsieur Linteau, demanda Oedipe?

L'homme ne répondit ni ne broncha; il semblait avoir tout son temps. La scène commençait par énerver Oedipe.

Cette maison qui avait brûlé, la sienne, et cette troublante veuve qui l'avait invité à aller finir la nuit chez elle, alors que les cendres de son épouse n'étaient point encore refroidies, lui faisaient craindre de perdre patience et raison.

— Que suis-je venu faire dans cette histoire? demanda-t-il.

L'homme le regarda avec bienveillance et lui répondit:

— Tout dépend de la saison, galérien.

Les flocons qui s'amoncelaient ne faisaient pourtant guère illusion. C'était la saison hivernale.

— Alors, pénétrez, lui enjoignit l'étranger, à la lueur de cet éclaircissement.

Après s'être secoué et avoir accroché son paletot, se chauffant les mains à ras du poêle qui besognait en crépitements sonores, il demanda:

— Qui êtes-vous?

— Vous le savez bien, répondit l'étranger, je suis le professeur Tirésias, chez qui vous venez vous tromper sur votre propre sort.

— Comment ça? interrogea Oedipe qui connaissait des professeurs Tournesol, Mangemanche, Lebrun, Hamel, sans oublier le professeur de *l'Ange Bleu*, mais qui ne se souvenait pas d'avoir déjà rencontré ni même entendu parler d'un professeur Tirésias.

— On ne vous l'a donc jamais dit? questionna le professeur ou celui qui se prétendait tel.

— Non, fit Oedipe, avec une certaine amertume.

— Étrange, fit l'étranger. Dommage, même. Étrangement dommage. Regardez par le trou de cette serrure, reprit l'étranger, mais pas trop longtemps car vous risqueriez d'en revenir tout aveuglé.

Oedipe jeta un rapide coup d'œil à l'intérieur dudit orifice et il aperçut une clé qui ouvrait la porte de la chambre où la silhouette de madame veuve Linteau apparut.

Quelqu'un la suivait.

Oedipe se reconnut: la démarche, la stature, la figure, il ne pouvait s'y méprendre, c'était bel et bien lui.

— Il y a toujours un côté du mur à l'ombre, lui fit la charmante Émilie, avec un léger chantonnement dans la voix.

— Vous êtes bien gentille, répondit Oedipe, de m'offrir de passer ces quelques prochaines heures à l'abri de la froidure.

— Oh! Vous pouvez vous installer ici à demeure, ce n'est pas une prison, lui déclara-t-elle en se déshabillant.

Oedipe n'en voulut rien croire, mais, d'un solide coup de pied, il referma la porte par derrière lui, pendant que, dehors, la lune, rondelette, offrait un baiser à la nuit qui tremblait d'incandescence.

HUITIÈME VISION DU MYTHE

Accalmie

«Le fond de l'air est frais.»

L a bourrasque qui rendait le temps mauvais, aurait pu, si elle avait eu des yeux, contempler le visage d'un homme de sexe mâle et dans la trentaine avancée, étendu sur la surface plane d'un lac gelé.

À Saint-Adolphe d'Howard, village situé sur les bords des lieux de ce drame, nous nous occupions à tuer le temps.

Antigone lisait, Ismène, Polynice et Étéocle jouaient à la dame de pique, Jocaste leur mère, achevait de laver la vaisselle, tandis que moi, Oedipe, leur progéniteur, sauf à Jocaste comme de bien entendu, continuais à me morfondre et à me ronger les sangs, à cause du pire hiver qui se soit montré le nez depuis belle lurette, lequel organe ou laquelle saison n'augurait rien de bon pour le fond de mes goussets ni pour le bien-être de chacun des miens.

En effet, si, pour les commerçants de nos Laurentides, tels que moi, la neige est une camarade dont l'absence, pendant la saison hivernale, peut durement nous affecter, trop de neige cause le même sinistre état.

Or, cet hiver-là, il avait commencé à neiger tardivement, le 15 du mois de janvier, plus précisément, un mardi, je m'en souviens très bien, mais c'était parti en fou, ne s'arrêtant que comme pour nous narguer, afin d'ensuite reprendre de plus belle, surtout les fins de semaine, éloignant de ce fait la manne touristique de tous nos établissements.

Et nous étions rendus à la mi-mars.

Découragé et souverainement excédé par mes son-
geries qui, de blanches qu'elles étaient lors des bonnes
périodes de l'année, changeaient en gris lorsque le temps
devenait par trop maussade, passaient maintenant au
noir le plus complet, je pris refuge dans l'antre de mon
bureau et me mis à écrire ceci:

> «La bourrasque qui rendait le temps mauvais, aurait pu, si
> elle avait eu des yeux, contempler le visage d'un homme
> de sexe mâle et dans la trentaine avancée, étendu sur la
> surface plane d'un lac gelé.
>
> «Il était en train de mourir de froid.
>
> «Ses rêves s'étaient mis à se succéder à une vélocité
> tellement vertigineuse, qu'un extra-terrestre intéressé par
> ce genre de spectacles survint et prit la photographie d'un
> de ceux-ci sur le fond sonore duquel on pouvait entendre
> Édith Piaf chanter:
>
> «Quand il me prend dans ses bras
> qu'il me murmure tout bas
> je vois la vie en rose.
>
> «Oedipe, car c'était le prénom de l'homme en question,
> avait perdu la voie. Il s'était égaré, loin de toute félicité,
> très loin de toute fidélité. C'est le Nord qui l'avait ainsi
> perdu.
>
> «Au fond de ses engourdissements, il ne lui restait plus que
> le fol espoir de voir l'une de ses visions se réaliser, alors
> qu'épuisé, fourbu, il émergerait de la forêt et cognerait à
> la porte du magasin général d'un quelconque village.
> Nous lui aurions ouvert, comme de bien entendu, gens de
> bien peu de soupçons...»

Mais c'est à ce moment-là que je dus interrompre la
bonne menée de ce récit car j'entendis quelqu'un se
secouer les bottes sur le palier et, peu ensuite, Jocaste me
crier: «Oedipe, c'est pour toi, quelqu'un en bas!»

Une toute jeune fille, de onze ans peut-être, encapu-
chonnée et bien emmitouflée dans ses chauds vêtements,

et malgré cela grelottante, attendait pour m'adresser la parole.

— Monsieur Oedipe Roy? me demanda la petiote.

— Oui, répondis-je, puisque tel était mon nom.

— Habillez-vous et venez secourir mon père qui est en train de transir.

J'obtempérai et la suivis.

Dehors, après quelques pas, je questionnai: «Où est-il?»

— Sur le lac Saint-Joseph, me répondit-elle.

— Et comment t'appelles-tu? l'interrogeai-je, un peu plus tard, courbé par la rafale.

— Antigone, me répondit-elle, en fermant résolument ses guillemets.

Et je me réveillai, me levai. Avais-je rêvé?

En bas, je préparai du café, alors qu'Ismène, Polynice et Étéocle jouaient une partie de dame de pique, que Jocaste terminait la vaisselle et qu'Antigone lisait.

En attendant que l'eau bouille, je revins au salon, et, curieux comme une fouine, entrevis que ma fille s'adonnait à la lecture d'*Une journée dans la vie d'Oedipe Roy* et plus particulièrement à celle de la huitième vision, intitulée *Accalmie*.

Je me penchai, afin de savoir ce que l'auteur avait écrit, et je lus ceci:

> «Nous arrivâmes enfin, la jeune fille et moi, devant le corps inerte de l'auteur de ses jours.
>
> «Je parvins à jucher l'individu sur mon dos, puis, de peine et de misère, à le ramener à mon logis; rien n'y fit, puisqu'après quelques jours de fièvre où il végéta entre la vie et la mort, il sauta la barrière suprême afin de rendre l'âme.»

Dehors, le soir tombait tandis que ma fille Antigone refermait son livre et que nous contemplions le paysage par la fenêtre, le paysage qui se permettait soudainement une accalmie devant les dernières couleurs du jour.

NEUVIÈME VISION DU MYTHE

La honteuse

«Ô tant de fois infidèle.»

La mort rôdait, je le sentais. Et n'étais point du tout d'accord à la laisser pénétrer chez moi, dans cet établissement, dans ce bordel, appelez cela comme vous voulez, dont je tenais, vaille que vaille, les rênes du va-et-vient quotidien.

Voilà longtemps que je n'avais songé à Lazare, mon ancien camarade de classe, chassé en même temps que moi du collège pour cause d'indiscipline.

À vrai écrire, nous avions été surpris à nous sucer la graine, à faire du 69 sur un lit du dortoir, si vous préférez, et tout de suite renvoyés à nos parents, sans nulle autre forme de procès.

Depuis cette époque, Lazare avait tout de même terminé son cours classique, traversé brillamment les examens du Barreau et était devenu avocat.

Moi, je ne m'étais rendu qu'au bout du cours classique, ayant trop hésité par la suite pour me diriger vers la philosophie ou vers la théologie; mon père étant décédé lors de ces tergiversations liées à mon avenir, je pris la succession de l'*hôtel des Pins,* dans les Laurentides, lieu qui depuis cette décision est parvenu à me faire prendre tout en dégoût.

En l'espace de vingt ans, je peux dire que j'y avais vu Lazare une dizaine de fois, et chacune des fois, accompagné par une nouvelle conquête, la plupart du temps grimée comme Fanfreluche et laide comme une pomme de laitue toute ratatinée et toute rouillée sur le dessus, qu'on oublie parfois dans le frigidaire, l'hiver.

Cette fois-là, il était seul, seul comme seul peut être seul un homme seul quand il est seul.

Et il faisait une de ces gueules.

Quand je le vis arriver, il n'y avait personne dans la partie de mon hôtel réservée à la consommation de l'alcool, que moi et peut-être Fifine, le chat.

«T'as pas amené une créature?», vins-je sur le point de demander à Lazare, mais son allure si sombre, sa figure glabre à faire frémir, laissèrent les mots s'oublier dans les méandres de mon esprit.

Il prit place sur un des tabourets, et après un silence de quelques instants, il laissa échapper: «Oedipe, tu as devant toi un homme qui a couché avec sa mère pendant quatorze ans, et qui vient juste de l'apprendre.»

Je dois avouer que mon ancien compagnon de collège me mit alors dans un état avancé d'interloquement. Je ne connaissais pas grand-chose de sa vie privée, mais cette nouvelle, si je puis m'exprimer ainsi, me laissa décontenancé au plus haut degré.

Je pensais à ma mienne mère, et trouvais cela inimaginable.

Je nous servis une bière chacun et m'aperçus qu'il était déjà fort éméché.

Il sortit une cigarette et eut toute la peine du monde pour se l'allumer. Il tremblait et oscillait comme la dernière feuille d'érable de l'année.

«Ma femme, Oedipe, ma femme était ma mère.»

Après avoir hoqueté, il sortit de la poche de son manteau des objets argentés, des fibules, comme je l'appris plus tard, ce qui signifie, d'après mon dictionnaire: «agrafe, broche antique pour retenir les extrémités d'un vêtment», et il s'en creva les yeux.

Je n'ai jamais compris pourquoi il était venu faire cela chez moi.

DIXIÈME VISION DU MYTHE

Suite à la neuvième

Et nous devînmes obligés de garder Lazare avec nous; à Montréal, plus personne ne voulait entendre parler de lui. Il était en quelque sorte devenu un objet de répulsion pour les siens. Tabou.

Quelques semaines après qu'il se soit enlevé la vue, une jeune fille nous arriva par l'autobus de 4 heures 40, qui répondait au prénom de Marie-Barbola et qui n'avait pas réussi à se faire adopter, ainsi que les trois autres enfants de mon ancien confrère de classe et nouvelle personne à ma charge; il faut dire aussi, en toute justice, que cette enfant n'avait pas toute sa tête à elle. Ils demeurèrent donc pendant un certain temps sous mon toit, jusqu'à ce que l'aveugle fût retrouvé sans vie, dans son lit; c'était par un radieux matin de printemps, je m'en souviens très bien, et m'en étais réjoui, à ma courte honte.

Cependant, je ne sais pas si je l'ai mentionné auparavant en d'autres termes, mais ma santé mentale, déjà fortement ébranlée avant l'arrivée du père et de sa fille, s'était, depuis lors, encore plus détériorée.

D'entendre, jour et nuit, psalmodier: «Trop de lumière obscurcit», m'avait conduit tout près de la déraison la plus complète.

Car c'est à psalmodier cette maudite phrase que s'occupaient Lazare et Marie-Barbola.

«Trop de lumière obscurcit.»

Aussi ne fut-il pas surprenant que je tombe malade et que je fusse, moi aussi, pris à me délivrer de mes délires.

C'était la veille du Jour de l'An, quelques mois avant la mort de Lazare.

Au point le plus obscur de mes délires, je me sentis

transporter deux mille ans plus tôt, en une région du Moyen-Orient, nommée la Palestine.

Moi qui m'étais depuis toujours — c'est faux, pas depuis toujours, car dans mon enfance, j'avais appris à me considérer comme un Canadien-français — cru de nationalité québécoise, je me retrouvais sous les atours et les couverts, sous la peau même d'un commerçant juif, à la différence qu'au lieu de tenir hôtellerie, ou bordel, comme on veut, j'étais à la tête d'une petite cordonnerie.

«Et cogne, cogne les clous, mon vieil Oedipe, cogne les clous, avant qu'on te sacre dans le trou», cela sonnait-il à mes oreilles de travailleur exténué, mal dans sa peau intérieure, n'aimant pas mon métier, tout comme auparavant, et tout comme auparavant aussi, obligé de subir les néfastes et éprouvantes répétitions de Lazare et de sa fille Marie-Barbola.

Aussi ne fut-il pas surprenant que je tombe malade et que je fusse, moi aussi, pris à me délivrer de mes délires.

Ce fut pendant cette défaillance qu'il se passa un fait des plus extraordinaires et que je ressentis pourtant comme d'une extrême banalité.

En effet, peu après que je sois tombé, pour ainsi dire, sous le joug d'Esculape, Lazare avait levé les pattes.

Et voilà que quelque trois à quatre jours suivant la découverte de son cadavre, alors qu'il puait déjà, un apprenti-sorcier ou un véritable guérisseur, je ne sais pas, je n'étais pas là, un christ de fou en tout cas, sans vouloir offenser qui que ce soit, vint ni plus ni moins le ressusciter.

HORREUR.

C'était vraiment la dernière chose à faire.

Maintenant, il ne se contentait plus de crier son déferlant «Trop de lumière obscurcit», mais sa fille s'était mise à vouloir crier plus fort que lui: «La cécité est un fichu de métier», et c'était au plus fort la voix.

Ce que ça pouvait devenir énervant, pour un homme qui se relevait à peine de sa folie, pour un convalescent comme moi.

Par-dessus le marché, Lazare, ou sa raison, dépérissait.

Sous les cris espacés de Marie-Barbola, qui ne comprenait pas que son père ait cessé de jouer avec elle, tout recroquevillé dans son coin, il ne faisait que répéter, de plus en plus désespérément: «Non, n'importe quoi, mais pa ça, pas la vie, non, non, pas la vie, pas la vie!», et il n'en finissait plus, sur tous les tons possibles et imaginables.

Marie-Barbola, sans doute parce qu'elle se sentait abandonnée par son père, Barbola, la folle fille, fut retrouvée pendue à un arbre du champ appartenant au potier.

Ce n'était pas très gai que tout cela.

Et Lazare empirait: il riait, pleurait convulsivement, à créer de la panique au cœur du plus brave, et sa bave semblait rigoler grotesquement; les derniers temps, il faisait tous ses besoins dans ses culottes, et refusait qu'on l'approche, nous percevant, au fond de ses abîmes, comme de gigantesques araignées par lesquelles il craignait d'être anéanti.

Et il puait, il puait, ce qu'il pouvait puer.

Le cœur m'en lève encore, quand j'y pense, bien des années plus tard.

Ce fut tout ce que je pouvais endurer; la lie débordait, le train déraillait, mon dérailleur se défaisait, et je me réveillai dans ma chambre de l'*Hôtel des Pins*, à Saint-Adolphe-d'Howard, dans les Laurentides, sur les bords du lac Saint-Joseph, en plein début de printemps, avec un prêtre qui s'apprêtait à m'administrer les derniers sacrements.

«Par pitié, pas de trahison!», implorai-je, en poussant mon dernier soupir, en me procurant le dernier de mes souvenirs qui me reportait au temps de ma jeunesse alors que j'avais cru entendre les maisons du quartier de la Côte-des-Neiges, où j'habitais, me chuchoter, ainsi qu'à l'un de leurs murs:

«Nous avons attendu plus de deux mille ans pour avoir droit à notre pays, n'escompte pas pouvoir te donner le tien en vingt ans», et cela sonnait maintenant étrangement apocalyptique à mes oreilles, fermées.

ONZIÈME VISION DU MYTHE
La patriotique

«Si c'est rond, c'est pas carré.»

En ce temps-là, la puissance canadienne s'était dotée du plus jeune Premier ministre de son histoire.

C'était une tête carrée, comme on dit au pays, un Anglois.

Sa première bévue, à ce fils de la terre albertaine, lointaine province située à l'ouest de la mienne, fut de vouloir déménager l'ambassade du Canada en Israël, de Tel-Aviv à Jérusalem.

Ce fut considéré comme une gaffe monumentale.

Aussi, le sobriquet de Jos la Gaffe ne tarda point à montrer son pignon dans l'horizon d'une mer à l'autre.

Pour ma part, humblement parlant, je me permis de songer à ce quelconque Jos surnommé la Gaffe, et plus particulièrement à la forme de sa tête, ainsi qu'à celle, ô contraste, de monsieur Galileo Galilei, mieux connu sous le nom de Galilée. Ce même Galilée qui fut, il y a longtemps, poursuivi comme hérétique parce qu'il soutenait que la terre était ronde, et dont l'Église catholique n'a pas encore réhabilité la mémoire. Je resongeai à la tête de notre Premier ministre, et m'en revins bouche bée. Fi, le mauvais navigateur.

C'était, toutes proportions gardées, un peu comme si le gouvernement des États-Unis d'Amérique décidait de déménager son ambassade canadienne d'Ottawa à Montréal, comme si le Vatican résolvait de transporter son siège social à Athènes ou à Paris, c'était trop drôle.

Mon pays, le Québec, internationalement parlant, existait donc, d'une certaine manière, détournée, dans l'inconscient collectif, mais n'importe, c'était tout au moins ça de gagné.

Devant cette interprétation des faits, peu me chalait que j'eusse ou non raison, ce qui est certain, c'est que cette prise de conscience, toute subjective et singulière soit-elle, me laissait muet, tout comme Zacharie, le père de Jean-Baptiste, le mari d'Anne, laquelle dernière, malgré son âge avancé, était enceinte de son premier bébé.

Le premier citoyen de la puissance dont nous étions de plus en plus nombreux à vouloir nous détacher, avouait en toute candeur, isolé comme le pire des farfadets, que des érables poussaient en Palestine.

Un mois environ suivant l'élection de ce bizarre d'individu à la tête de ce qui ne mérite même pas le qualificatif d'État, tout au plus celui de colonie des États-Unis, j'allai passer la nuit de la Saint-Jean sur les bords du lac Tibériade, à Sainte-Véronique, dans les Laurentides.

À la nuit venue, je revêtis mon habit d'homme-grenouille, et magnétiquement guidé par d'irradiantes et sans doute ténébreuses mutations, semblablement à l'aiguille d'une boussole, je sentis mon être se diriger vers le plus profond, vers le milieu du lac.

Je fus proche d'en devenir sourdingue.

Rien de moins.

Enfin, j'arrivai devant un coffre sur lequel était inscrit, en lettres dorées, le mot CERVEAU.

Craignant que l'intérieur de ce coffre ne soit étanche, et surtout me sentant les tympans parés pour le grand éclatement, je remontai à l'air libre, tenant mon étrange découverte à bout de bras.

La lune était passablement argentée. Et moi, moi, eh bien! je dégoulinais. Je pris une pince-monseigneur, et ouvris le «cerveau», à l'intérieur duquel cette prochaine lettre se trouva.

DOUZIÈME VISION DU MYTHE

Lettre dans le coffre

Pourquoi une apparence de soupirail blêmirait-elle au coin de la voûte?

Arthur Rimbaud

Mon pauvre Oedipe,
À quoi tout cela rime-t-il?

Bien sûr, ton histoire est archi-connue, alors à quoi bon la faire renaître encore une fois de ses cendres?

Mon si tant pôvre Oedipe, comme dirait l'autre, à quoi bon la raconter de nouveau, et devenir le réceptacle amer de tant d'aveuglements?

Ne vaudrait-il pas mieux s'arrêter là, ou renvoyer le lecteur au huitième jour, alors qu'Adam et Ève s'unirent en sacrifice, ce huitième jour qui n'en finit plus de tant durer, muraille d'où se mire la grisaille du temps?

À quoi bon te faire voir le jour chez des francophones par exemple, des Canadiens-français, on ne sait plus trop bien comment les nommer, ces gens-là, chez des Canacquois? et dont le père, alcoolique et visionnaire, comme cela va souvent de pair, aurait voulu interdire à sa concubine de concevoir.

Car la simple possibilité que tu naisses l'obsédait telle une phobie elle-même anthropophage, et lui faisait prendre tout le reste du monde en horreur. De là sa décision de faire son entrée au sein de la société des Alcooliques anonymes, car il craignait de plus en plus tous ces états d'ébriété où il finissait toujours par tomber dans l'inconscience la plus totale.

Malgré sa volonté de garder tous les pouvoirs en sa possession, de ne rien partager, il y eut un soir, il y eut une nuit où il n'y tint décidément plus: venues d'il ne savait où, des pulsions le poussaient parfois à circonvenir ses résolutions: ainsi, s'était-il entendu dire, au dedans de lui-même, poussé par la débâcle: «Après tout, c'est ma femme.»

Eh oui, «sa femme», pauvre Laïos; il l'aurait achetée au marché que ce n'aurait pas été pire.

Il se saoula dans une taverne, eut toutes les peines du monde à retrouver son domicile, s'enfargea dans l'escalier, et parvint à s'enfouir au creux de Jocaste, ne réussissant pas à se retenir d'éjaculer, en priant Dieu pour qu'Il la fasse mourir, celle qu'il qualifiait de vile chienne.

J'ai honte, Oedipe, de connaître tous ces forfaits qui entourèrent ta conception, sans même être certaine qu'ils soient authentiques, me les imaginant à partir de ce que ton silence a pu révéler, car je n'ai pu marcher toutes ces années à tes côtés sans au moins essayer de scruter le passé, moi, ta fille maudite et en quelque sorte illégitime, bientôt condamnée à tenir tête au pouvoir de Crayon, cet ancien journaliste, mon oncle.

Laïos s'était abstenu, ô spasme, de faire ce qu'il est convenu d'appeler «l'amour» à Jocaste depuis quatre mois et quelques jours, depuis qu'il avait eu la furtive vision de la voir en train d'accoucher d'une pieuvre qui voulait l'étrangler, lui, Laïos Courtemanche, homme jaloux et méfiant de la moindre des futilités.

Par après, il avait espéré que ta naissance, si naissance il devrait y avoir, viendrait à bout des forces de Jocaste.

Puis il prit peur de nouveau, et préféra se masturber, plutôt que de toucher à celle-là dont il avait de plus en plus la certitude qu'elle était possédée par le démon.

Il rêvait de pouvoir la faire interner avec les fous.

Oedipe, j'en ai assez, pourquoi m'avoir demandé d'écrire ce texte, et pour qui?

La mort viendra bien assez tôt, crois-je t'entendre

penser, ô toi, le si avare de paroles.

Il ne se sera aperçu de ton imminente venue que quatre mois et quelques jours passés cette mémorable nuit, comme si le temps de continence devait équilibrer celui de la méconnaissance de ta gestation.

Et il contemplait avec épouvante le ventre de Jocaste, allant de la haine à la simonie, jusqu'à demander au ciel de te faire mourir toi aussi, le fruit d'une démone; quant à lui, il hantait les églises et passait de longues heures en hypocrisie.

Il lui en voulait, la considérait comme étant seule coupable, prétendant lui avoir maintes fois répété de ne pas l'aguicher, la maudite cochonne, ne comprenant pas le mystère qu'elle portait en elle, y entrapercevant uniquement le polichinelle de ses angoisses, hydres à mille têtes difformes de corbeaux maléfiques, contre lesquelles ses visions l'avaient pourtant prévenu.

Il prit donc difficilement son mal en patience, blasphémant, aveugle, imbécile et étranger au miracle de tout semblable événement, et contre le fait qu'il était maintenant trop tard pour risquer que Jocaste se fasse avorter, laquelle femme, à la nuit venue, dans le noir, souriait de contentement en prenant conscience de son ventre qui prenait abondance dans les alchimiques transformations de son sang.

Et il perdit sa job, par exprès peut-être, une algarade avec le contremaître, et but de plus en plus, la battant, dans l'espoir de provoquer un accident, et la traitant de tous les noms, avec la chienne au ventre que tu ne l'assassines un jour, que tu ne prennes ta revanche, comme lui avaient montré ses cauchemars de tantale, mais Jocaste tint bon... Dois-je continuer, Oedipe?

Nous nous approchons de la grande ville et un homme s'avance dans notre direction; peut-être pourrait-il nous aider à trouver un gîte, pour la prochaine nuit.

La rencontre

> Peu à peu, il se détendit et glissa dans l'inconscience,
> fermant ses paupières lasses sur des rétines lacérées par
> les lanières rêches des visions insolites.
>
> Boris Vian

Après la lecture de cette lettre, de ce texte, devrais-je peut-être plutôt écrire, je figeai, fort perplexe.

Cela dura quelques secondes où je me retrouvai comme dans un état second.

Le silence pesait sourdement tout autour de ma personne. Des ampoules éclataient.

Qui était Oedipe, Jocaste, Laïos Courtemanche?

Et qui avait écrit cette lettre ou ce texte, appelez ça comme vous voulez?

Étant, à cette époque-là, libre de mes mouvements, puisqu'une fois de plus le service des postes canadiennes était en grève, et que je suis un facteur, un postillon, si vous préférez, je revins à Montréal, et allai me promener sur les abords du pont Jacques-Cartier.

Comme je l'avais prévu, peu avant d'arriver au milieu du pont, à une sorte de carrefour, de petite place, renflement passager dans le rectiligne asphalté des choses, près du chemin menant sur l'Île Sainte-Hélène, nommée ainsi en l'honneur de l'épouse de Napoléon Bonaparte, lequel homme bouta les Anglois hors de Neufve-France, en 1534, ou encore, selon une autre mais non moins sérieuse vue des choses, à la mémoire d'Hélène Boulé de Champlain, que l'illustre Samuel avait épousée alors que cette dernière n'avait que douze ans.

Champlain, quoi que puisse en dire la croyance populaire, fut le fondateur de la ville de Montréal; à preuve qu'au pied du Saut Saint-Louis, dans l'île de Montréal, sur une carte datée de 1612, on voit apparaître pour la première fois le toponyme Montréal, et que cela fut l'œuvre de Samuel de Champlain.

Je m'écarte, comme dirait l'autre, en forêt, en pleine savane discursive. Je m'éloigne, fautive planète campée sur ses deux jambes, du soleil d'Austerlitz.

Comme je le prévoyais, donc, deux individus, se dirigèrent vers moi, semblant peu habitués à s'exprimer; c'est ainsi, en tout cas, que je perçus la cause des bafouillements et balbutiements par lesquels la jeune femme, car c'était elle qui me parlait, et non pas son ténébreux compagnon, un vieil homme, à ce que je pouvais distinguer, me demanda s'il était en mon possible d'aider son père ainsi qu'elle-même à trouver un gîte pour la prochaine nuit.

On était, sans aucun effort, et sans que j'aie pu m'en rendre compte, déjà le 7 ou 8 décembre au soir, le plus court jour de l'année, et le soleil fauchait ses derniers rayons.

C'était frisquet et très fourchu.

Je pris mon état d'hésitation.

Je décidai finalement de les inviter chez moi, dans les sous-sols de l'église Notre-Dame, située au cœur du Vieux-Montréal, face à la Place d'Armes, dans une de ces pièces qui servait jadis d'abri où remiser les victuailles, durant la saison froide.

Personne, jusque-là, ne connaissait ma présence en ces lieux; je m'étais muni de grande prudence, ne sortais que très rarement, et ne pénétrais dans mon antre qu'à la nuit venue, par un emplacement connu de moi seul.

Aussi, quel ne fut point mon désarroi et mon absolu étonnement, en arrivant dans ma cachette, de constater que tout était allumé, comme chez les gendarmes, alors que j'étais plus que certain d'avoir éteint, avant de quitter pour la dernière fois ma demeure.

De plus, une enveloppe était déposée sur ma table de chevet, à l'intérieur de laquelle était écrit ceci:

«... J'habite les dessous d'une ville bruyante. J'aspire à y remplir une des rares fonctions que les hommes ont été incapables d'enraciner dans le réel. Heureusement d'ailleurs qu'il en est ainsi, car sinon je ne répondrais pas de l'avenir. Pour le moment, j'en réponds, vaille que vaille, bien sûr, mais j'en réponds. Ce rouge téléphone sur la table de travail d'où sont transcrites ces présentes phrases, ce rouge téléphone sur lequel est inscrit le mot AVENIR en lettres moulées, est là pour donner raison à ce que j'avance, bien qu'il ne tinte jamais.

«Il faut croire aux légendes, me dis-je, même si, en grande partie, ce sont elles qui m'ont conduite en un tel état. Déplorable. Et que j'aie plutôt le vouloir d'associer leur inertie à de l'anonymat dont, par essence, je ne devrais guère ni me soucier ni me souvenir. Mais il faut que je me souvienne, sinon tout est fichu. La terre continuera sans doute de tourner mais j'aurai omis d'y embarquer, serai restée sur le quai des gares, à la regarder passer, comme on rate un grand amour, endormie, morte avant même d'avoir été engendrée, banalités des banalités. Au-dessus de moi, il y a un homme qui écrit; je le hais, car il écrit toujours sur ce que j'ai de plus précieux, de plus sacré, sur mes dernières quintessences; en même temps, je l'aime, car il représente actuellement le seul espoir que je possède pour sortir définitivement de ce labyrinthe où je suis enfermée à multiples tours. Je suis obligée, pour continuer à maintenir notre lointaine et spatiale complicité, de faire brûler le bois de mes souvenirs, et c'est de ce foyer que sa prose se nourrit.

«C'est un cercle vicieux au centre duquel tente de se mouvoir le miroir d'un diable boiteux.»

induit-il présentement sur sa blanche page.

«Je ne peux relier cette phrase à quoi que ce soit de précis, semblablement au marin qui ignore si son navire sera victime des côtes d'Irlande, d'Islande, de Cuba ou de celles des Îles de la Madeleine. Il y a trop de récifs, en haut, et les mots ne me parviennent que très rarement, par bribes, surtout le dimanche, alors qu'il m'arrive parfois de recueillir une phrase complète.

«Mais alors je me perds en tergiversations, comme ici.

«De quel cercle s'agit-il?

«Du mien?

«De celui de la transgression parentale emmêlée au flux des marées et des années? Je ne sais, mais ce que je ne puis ignorer, c'est que si par miracle je sors un jour voyante de la tempête, je devrai une fière chandelle à ce type qui persiste à vouloir me sauver de l'aveuglant brouillard vers lequel me pousse l'emprise hypnotique de mon passé.

«Parfois, aucun rachat ne me paraît plus souhaitable, hors celui des lames du suicide, et j'ai alors la mémoire qui me tournoie de fantômes.

«C'est ce qui arrive en ce moment, et je m'arrête de crainte d'achever sur un crime, culpabilité des culpabilités.»

Je remis ces pages et leur enveloppe sur ma table de chevet, là où je les avais trouvées, et je levai mes yeux vers mes invités, comme en attente d'une explication de leur part.

Cela tardait à venir.

Je laissai donc ma langue se délier et vins pour dire: «D'après ce que je peux constater, vous savez beaucoup de choses», étant bien certain que ces deux lascars n'étaient pas étrangers à l'illuminement dans lequel j'avais trouvé mon logis, non plus qu'à la rédaction de ce texte, dont je venais de prendre connaissance, mais je vis que le vieillard, le père de la jeune femme, possédait des yeux aussi blancs que sa barbe.

Je tournai donc ma langue huit fois dans ma bouche et demandai aux deux inconnus: «Est-ce moi que vous voulez tuer?»

La jeune femme se taisait, et rien ne m'avait encore indiqué que l'aveugle ait pu avoir la capacité d'émettre un son.

— À qui ai-je l'honneur? demandai-je finalement devant le peu d'intérêt que ma première question avait soulevée chez mes deux individus.

— Je me nomme Antigone, fit la jeune dame, en sus de sa révérence fort XVIIe siècle ou fort couvent des Ursulines de la bonne vieille ville de Québec, et j'incarne l'Écriture. Voici mon père, Oedipe Roy, qui, pour sa part, jouera le rôle du personnage.

— Soyez les bienvenus dans mon galetas, répliquai-je, mais je vous prierais d'élaborer quelque peu car, du diable, si je comprends quelque chose à votre affaire.

Le vieillard avait toujours le visage tourné vers le haut.

— Et moi là-dedans, qu'est-ce que je suis censé faire? demandai-je.

— Rien; l'auteur peut-être, répondit la demoiselle.

— Vous m'en direz tant, lui répliquai-je.

— Je vous en prie, monsieur, implora-t-elle.

Mais c'est qu'elle prenait ça très au sérieux, ma parole!

— Je n'ai aucune prétention de ce côté-là, mademoiselle, je ne sais pas écrire, à peine sais-je lire pour exercer mon métier de facteur convenablement.

Elle se tut.

À bout de patience, je continuai, ne sachant plus, je le sentais, trop bien qui parlait, tant ces mots me ramenaient dans le lointain.

— Écoutez, mademoiselle, j'ai une neuvième année, vous rendez-vous compte de ce que cela signifie, une neuvième année?

— Forte, fit-elle.

— Plaît-il, vous m'excusez, je n'ai pas compris, vous

dites? lui dis-je.

— Une neuvième année, mais une neuvième année forte, me rétorqua-t-elle.

— Mais pourquoi voulez-vous que j'écrive? lui demandai-je, excédé.

— Pour nous sortir de l'anonymat, mon père et moi, me répondit-elle.

J'étais sidéré.

— Mais, mademoiselle Antigone, finis-je par lui répondre, vous ne vous rendez pas compte de ce que vous venez de dire. L'anonymat, c'est ce qui existe de plus précieux en ce monde, vous en sortez et pfft, vous êtes pulvérisé. Vous vous promenez dans la rue, et ne vous saluez même plus, tant vous êtes devenu pour vous-même un inconnu. Vous n'avez tout de même pas comme ambition de passer à la télévision? l'interrogeai-je en plaisantant.

— Je veux savoir qui je suis, me fit-elle, au bord des larmes.

— Écoutez, oubliez toutes ces fadaises, continuai-je raisonnablement, et si vous me le permettez, puisque je ne m'attendais guère à recevoir des invités, j'irai chercher de quoi nous sustenter pendant que vous pourrez, si vous le désirez, vous servir de la chambre de bain qui est juste ici.

En effet, les voyageurs sont toujours crottés, à cause de la fange de courage que laisse leur âme, en sillonnant les continents.

Je ressortis donc de mon logis, et me dirigeai vers l'épicerie la plus proche. Mais, Vieux Serpent, j'avais beau m'évertuer à vouloir mener mes pas vers la région commerciale, je me sentais irrésistiblement attiré par les édifices portuaires. Au quai no 13, un galion se trouvait amarré avec, accoudés au bastingage, ladite Antigone et son aveugle de père.

Je n'en croyais pas mes yeux, et montai à bord du bâtiment afin d'éclaircir ce mystère; je me sentis obligé de trouver refuge dans la cabine du capitaine, et, du coup, forcé de m'attabler.

— Que voulez-vous que j'écrive, demandai-je, exaspéré?

— La quatorzième Vision du mythe, me répondit celle qui prétendait répondre au prénom d'Antigone.

— La quoi? fis-je, encore irrité, mais aussi un peu intrigué.

— La quatorzième, celle qui a titre *L'aveu*, me répondit mon interlocutrice.

— Vous m'en direz tant, repris-je, avec une vivacité ironique et glacée.

D'ailleurs, il faisait froid, même dans cette cabine, où je pouvais entendre les cordages, les poulies ainsi que des morceaux de métal se balancer et s'entrechoquer en une étrange harmonie.

Peut-être parsemé de cris d'oiseaux, aussi.

Enfin, à bout d'âme, afin de m'exprimer, me mettant à la place de ne je sais encore qui, je m'appliquai à construire ce qui suit.

QUATORZIÈME VISION DU MYTHE
L'aveu

Ainsi donc, me voici prise au piège.

Condamnée à retrouver ma liberté d'aimée, à ressusciter des cendres de la Sphinx que mon père idyllique et pourtant mortel, parvint à projeter en bas du Mont-Royal, par le seul moyen de son esprit.

Tâche prométhéenne, s'il est est, pour la surnommée Antigone que je suis.

En attendant, je suis révulsée et mes yeux ne s'arrachent que pour refléter la figure d'une dinde dans la farce de la quotidienne naïveté.

— Je suis la révulsée des révulsées; ce n'est pas très original, mais c'est comme ça.

La folie de mon père, feu l'aveugle Oedipe, m'a entraînée jusqu'ici, au terme de cette longue marche à travers les âges; ce qui m'a laissé une plaie profonde par laquelle, à chaque aurore, je suppure jusqu'à l'écœurement; alors apparaît, pour quelques bêtes moments, l'ignominieux espoir de guérison qui ne parviendra à s'éteindre vraiment qu'à la prochaine aube.

Je suis en sursis. Là où je vis, là où m'a conduite mon père en complète folie, c'est au Royaume des Morts; ce n'y est guère très gai et je n'ai pas d'autre choix que de me délivrer ou que de me laisser gruger peau à peau par les infernales divinités qui m'entourent et n'attendent qu'un faux mouvement de ma part pour m'ensorceler tout de bon au sein du plus morne des mondes.

C'est gris ici, et je ne dois pas être surprise en flagrant délit d'égarement, ou de vie, comme vous voudrez, car sinon ce serait fini, le monde exploserait ou, du moins, ce que j'en suis, une espionne à qui a été confiée la dure mission de renaître sans avoir à passer ni par la crucifixion ni par le Crucifié.

De jour, je dois me méfier des disciples qui ont foi en leur cruelle et célèbre Parousie. De nuit, je me déguise en prostituée au sein de ceux qui sèment la Partouze; mais d'un côté comme de l'autre, je suis obligée de jouer un rôle d'où je suis l'Exclue. N'ai donc pas encore de place ici-bas, et ne sais si je suis la seule en cet état-là ou bien si c'est le fardeau de plusieurs, m'étant rendue fort esseulée, de par la force des choses.

Mon père, ardent nationaliste d'un pays dont je ne me souviens même pas, est venu jadis mourir ici, un trois du mois de septembre, et je n'ai presque pas bougé depuis lors.

Au fond de ma cellule, entre mes quatre murs, j'entends des canons qui grondent, des piaffements de chevaux, des détonations de mousquets, et je suis mortellement effrayée, sans doute aussi à cause de ce judas qui s'entrouve devant moi afin de laisser place à ma pitance, et j'ai peur que l'on découvre le subterfuge de ma présence en ce siècle.

La folie de mon père, comme sans doute celle de plusieurs de mes semblables, partait d'un bon fond. Il me racontait très souvent, si souvent que c'en était devenu une obsession au moyen de laquelle il s'enveloppait de ferveur et de dévotion, l'histoire d'une sainte, ayant vécu en un ancien pays, et qui aurait, selon son dire, «bouté les Anglois hors de France». Il ne précisait jamais de laquelle des deux France il s'agissait, cependant.

«Tu en seras une, Antigone», me répétait-il, en faisant référence à son héroïne. Or, en lapant mon eau si peu bouillonnée, je me sens plutôt, de fort lugubre mémoire, comme une Aurore l'enfant-martyre, tout en me rappelant l'époque de mes douze ans, alors que je demandais, à bord de ce wagon et de l'interminable voyage qui nous avait fait traverser tout le nord de l'Amérique: «Dis, Oedipe, sommes-nous encore bien loin de Montréal?» et tout en me rabâchant cette prochaine phrase qui me traque depuis le début de la matinée: «Nous sommes d'une race qui ne sait pas par quel bout prendre naissance», phrase à laquelle je ne sais quel sens donner.

Je me doute bien que je dois pactiser, mais avec qui? Avec la folie? le diable? la mode? Ou avec cet écriturleur dont je m'imagine être devenue la prisonnière complice? Ou bien avec Ti-Fou-les-Rêves qui, le dimanche, alors que le règlement se relâche un peu, vient me feindre sa tantalisante hébétude, pour enfin se transmuer magnifiquement en sommaire chevalier de l'évasion?

Pourquoi ne pactiserais-je pas avec une note de musique, à la fin?

Je plaisante.

Peut-être sont-ce les mêmes? L'écriturleur de mes hauts-fonds et Ti-Fou-les-Rêves de mes lassitudes? Peut-être attendent-ils que je devienne leur salvatrice, et que nous mettions un point final à nos vies de réprouvés?

Je ne sais pas encore au juste et demeure la nielleuse du temps auquel je m'abandonne. À propos, ci-de-haut, n'était-ce point «la gnaiseuse» qu'on m'appelait?

J'ai vingt-huit ans.

Et je me sens vieille, si vieille, meurtrie et si voisine du ravage en flamme de la névrose.

Pourquoi, au juste?

Pourquoi ces mots? Pourquoi pas neuve, neuve et en santé, enchantée, comme le cri des oiseaux qui se nourrissent à présent au coin du plus caché de mes jardins?

Pourquoi pas?

À cause sans aucun doute des hallucinations dévo-
reuses d'enfants, des héliotropes, lys, narcisses et pissenlits, que sais-je, qui se métamorphosent en hélicoptères,
automobiles, machines à coudre, synthétiseurs de musique, de marque Alligator, Pélican, Crane, Hippocampe,
etc.

De peur qu'on me prenne pour une de ces choses.

Les hommes de ma contemporanéité se sont accor-
dé la malencontreuse maladresse de me soustraire à mon
corps, à cause sans doute de l'inexistence apparente de
mon sexe. Sans doute. Mais je ne me plaindrai pas.

Il ne me plaît pas d'être plainte, même en tant
qu'objet.

Entends-tu, abominable révélateur de mes cauchemars aphoriques, il ne me plaît pas que tu fasses de ta
créature une plaignarde, malgré le crevassement des
siècles et les distorsions et les croassements de cette
rondeur planétaire qui tourne en pure perte autour de
nous-mêmes.

Mes pauvres cernes, je les cacherai sous les feux
séculaires des fêtes de la Saint-Jean, en plein mois de
décembre, aussi absurdement, avec le seul des héritages
que puisse me permettre ce champ maudit d'où je suis
sortie, sous le couvert de ta semence, et j'ajouterai, à
l'adresse de tes hypocrites lecteurs, s'il en est, du tréfonds
de ma démence, ceci:

> «Écoute, écoute, peuple duquel mon père fut le roi,
> écoute le seul conseil que je sois en mesure de te
> prodiguer, du puits de ma quotidienne déchirure, et
> auquel tu feras sans doute semblant de n'y rien com-
> prendre, car tu n'as plus toute ta mémoire à toi.
>
> «DEMANDE LA TÊTE DE SALOMÉ!
>
> «Cette cruauté te sera bénéfique. Mais en auras-tu le

courage, ô pleutre peuple québécois? Ou bien prendras-tu ce conseil pour une nouvelle réclame de savon ou de cadenas?»

L'effort de cisaillement que je viens de fournir, afin de m'adresser aux mortels, mes ci-devant d'en-haut, aux en vie, m'a épuisée.

Paralysée, immobilisée, imbécile même, j'ai à peine la force réflexive de me dire que je ne suis pas naissante, même pas naissable, que je ne le serai jamais, que je ne saurai jamais comment m'y prendre pour venir au monde.

□

Bientôt l'aube, madame la blanchisseuse, il faudra vous lever.

Sans l'ombre d'un doute.

Mettez vos lunettes, vos barniques, comme vous les appelez, avalez votre dentier et préparez-vous à aller travailler.

Mais non, vous n'êtes pas montreuse de vagin dans un endroit spécialisé en ce genre de spectacle, ni même une prostituée.

Mais réveillez-vous donc, et redevenez madame Gilbarte Roy, sans chagrin, pendant que la curiosité vous pique de son dard et que vous cherchez la blancheur immaculée de l'Avenir dans le miroir déformé de vos rêves.

Votre mari, Isidore, ventripotente pourriture, ronfle à votre côté et vous ne vous interrogez pas sur la dure question de savoir si le prophète Jonas est sorti de sa baleine par la force d'un pet, ni si la bourgeoisie, là-haut sur la montagne, la montagne aux oiseaux, a fait bombance à la nuit dernière, et vous vous rendormez pour encore quelques minutes.

Entrez-y, ne vous gênez pas, dans le tramway de votre

enfance oubliée, madame Roy, et assoyez-vous sur un de ces libres bancs verts et de cuirette, vous avez le choix, étant la seule passagère prise au filet de l'Antigonie.

Regardez maintenant par la fenêtre, cette inquiétante jeune femme, la médaille renversée de votre vie, et qui se meurt de ne pas pouvoir se sortir d'elle-même.

À l'instant, votre wagon emprunte le tunnel qui vous fera traverser la montagne de bord en bord, et vous conduira de l'autre côté de la ville, dans les richissimes châteaux forts ouestmontais, où vous ferez le ménage des pièces, malgré vos varices, votre vieux cœur qui pompe, et votre corps difforme tout plein de retombantes épaisseurs.

On vous désigne comme «la blanchisseuse» dans le quartier que vous habitez, madame Roy, parce que votre mari exerce ce métier, et que cela a déteint sur votre personne, mais vous êtes bonne de la haute gomme, des hauts quartiers que la Sphinx protège de toutes ses forces immobilisatrices.

Tiens: à mi-chemin, votre train déraille, madame Roy. Vous avez peur; au-dessus de vous, le cimetière de la Côte-des-Neiges, dont le terrain jonché de tombes occupe une bonne partie de la montagne, vous fait soudainement souhaiter d'être ailleurs.

Mais puisque vous ne le pouvez pas, toute votre volonté se concentre sur un visage que vous rêvez depuis toujours de posséder.

Dieu que vous êtes belle, madame Roy, une vraie châtelaine pour qui se languissent princes charmants et chevaliers errants, mais à peine avez-vous le temps de vous faire à votre nouvelle image que tout se désagrège, et que votre tramway zigzague quelques coups pour enfin piquer une saprée embardée.

Woo beck, madame Roy, vous vous en allez revoler dans l'intérieur d'un caveau mortuaire, c'est pus heinque une p'tite débarque, et vous avez soudainement l'impres-

sion d'avoir déjà vécu ces interminables minutes, mais
vous vous trompez, et la cause de cette méprise, elle est là,
devant vous, bonne Sainte Vierge, c'est une apparition;
une jeune dame d'une vingtaine d'années, l'air très doux,
vous considère gravement; elle répond au prénom d'Antigone et aurait sans doute voulu être votre amie, mais vous
êtes tellement épaisse que ça n'a plus de bon sens, et vous
vous rapetissez, jusqu'à disparaître, pendant que la jeune
dame, à qui vous avez, sans vous en douter, servi de lampe
d'Aladin d'où elle a enfin pu s'évader, commence à se
mettre en je.

QUINZIÈME VISION DU MYTHE
L'emmêlée

On était déjà au 15 novembre.
Voltaire

Non, ce ne fut pas le très illustre «Où suis-je?» ni le non moins fameux «Qui suis-je?» qui furent destinés à me révéler relapse et sans tache, ce matin-là, triste indigence.

C'est que je n'avais rien à dire, et que je ne savais plus guère qui j'étais.

Ça peut arriver, à n'importe qui de se sentir sursaturé de caquettements et de choisir délibérement la cellule d'une prison.

Je tenterai donc, pour chasser l'ennui et fuir les multiples invitations qui me parviennent des hôpitaux psychiatriques, de m'immiscer à l'enseigne des rêves de mon nouvel amant, mon premier, à part cette dizaine de fois où je me suis aventurée à suivre mes camarades de travail, le vendredi soir, après la paie, pour aboutir chez des hommes de joie, d'insignifiants petits damoiseaux, la plupart du temps, ayant des mines effarouchées et des mignons à leur suite qui se faisaient un devoir de s'extasier sur la beauté de ces représentants du plus jeune métier du monde, et j'échoue dans le monde humide d'un caveau mortuaire, le quinzième jour du mois de novembre de peu importe l'année, des ossements éparpillés ici et là, émergeant des tombes éventrées qui ne me laissent aucun doute sur la nature de l'endroit où je croyais avoir enfin fini par m'exorciser.

J'ai malgré tout la ressource de penser à l'époque où nous jouions aux osselets sur le trottoir en face de la maison de nos parents, Ismène, Polynice, Étéocle et moi.

À peine ai-je le temps de m'habituer à la pénombre et d'apercevoir les pourtours si peu cordiaux de mes singuliers et squelettiques compagnons, que j'entends des bribes de voix mâle provenant de l'extérieur de mon caveau.

En m'approchant des quelques interstices qui se découpent dans un portail de fer forgé auquel la rouille s'est fortement attaqué, et qui laissent s'échapper un peu de lumière du dehors, je vois un homme, adossé à cette grande porte et qui, à haute voix, semble méditer sur le sort d'une action à prendre ou à ne pas prendre.

«Se tirer ou ne pas se tirer une balle dans la tête», telle est sa question. Il doit sans doute être porteur d'une arme à feu pour pouvoir se poser ce genre d'interrogation, et cela me laisse coite et béante telle une huître, mais il est déjà parti.

«Monsieur, monsieur», entends-je les mots mourir dans ma gorge, refusant de traverser la marécageuse parole; il ne m'entend pas.

Je devrai donc sortir de ces lieux par mes propres moyens, ce que je parviens sans peine à faire, car mon histoire est arrangée avec le gars des vues, et il n'a pas, ce en quoi je lui avoue toute ma reconnaissance, l'intention de me laisser moisir ici.

De toute façon, la rouille ayant déjà rongé presque entièrement les gonds, je n'ai qu'à pousser légèrement pour que l'ouverture s'entrebâille et me retrouver à la clarté du jour, accueillante comme une miraculée, Lazare-femme de ces circonstances bénies et inachevées.

Levant les yeux, je constate qu'une figure est gravée en effigie en haut de la façade extérieure de mon ancien habitacle, et qu'il s'agit de celle de sir Louis-Hippolyte Lafontaine.

«Bien le merci, sir», lui dis-je, mentalement, à vous ainsi qu'à toute votre petite famille.

Et je me retiens pour ne pas crier de toutes mes forces: «Ô la belle vie que voilà!», la «kallista» comme ils disent en grec, la câlisse de belle vie!

Mais je me garde bien de remercier Dieu, ne veux rien savoir de ce Vieux Serpent qui n'en finit plus de geindre et de se lamenter parce que jadis nous aurions occis son Orphelin, alors que ça aussi, c'était arrangé d'avance.

Le grand air du cimetière de la Côte-des-Neiges me donne une de ces fringales, j'ai faim, dévorerais une lionne dans son forum, comme si cela fesait trois siècles que je ne me serais mis le bout d'une tinette sous la dent.

Non loin se trouve celui qui tergiversait, branlait dans son manche, mon candidat au suicide de tout à l'heure; il arpente la terre du cimetière, entre les tombes, tel un skieur de slalom, et non pas par les chemins asphaltés, comme pour aller au plus rapide: Terreur, je reconnais la démarche de mon père Oedipe, et comprends, comme en un éclair, avant que la foudre ne frappe, que je ne suis encore qu'une conscience non encore parvenue à prendre forme; et je vins pour crier: «N'y va pas, n'y va pas, Oedipe, c'est un piège!» J'ai jusqu'à ressentir des larmes sur mon absence de visage —, alors que trois policiers, montés sur leurs chevaux, se pointent la silhouette dans la direction de mon marcheur esseulé, lui demandant de prouver qu'il a une identité bien identifiée, et qui, à cause de l'aspect hirsute et débraillé de mon pauvre père, se mettent à vouloir le vitupérer, le menacer et le malmener pour le punir de ne pas avoir soigné son langage ainsi que pour leur avoir répondu avec un brin d'insolence dans la voix; il s'en occasionne une véritable rixe, une échauffourée au milieu de laquelle Oedipe sort son arme et tire — si ce n'était lui, c'était l'autre —, blessant à mort un des policiers, le caporal Courtemanche, Laïos de son prénom, naturellement, et tout en tenant en respect les deux autres représentants du désordre municipal, il prend la fuite à travers les bois du Mont-Royal.

Quant à moi, à bout de ressource, je dérive, mélange les souvenirs de ma pré-naissance avec ceux qui suivent le jour de ma première solitude, ne suis plus qu'une plume d'oie, un rêve sans origine, une illusion, un personnage, dans le méandre éblouissant de la nuit, et me retrouve dans l'inertie nerveuse du n'importe où, en Écosse ou en Irlande, à Limerick, plus précisément, force énergétique d'une centrale hydro-électrique, n'ayant à l'esprit que le nom de ces petits animaux, des lemmings, qui, apeurés par le brouillard, vont se jeter par milliers dans les eaux des mers du Nord, et que tout s'est déjà évanoui d'intensité.

Jocaste

Inter facies et urinam nascimur.
Saint Augustin

J'aimerais que tu me parles de ta mère, dis-je à Antigone, ce matin-là, dès qu'elle se fut ouvert les yeux.

Nous en étions, elle et moi, Dieu sait comment et Satan s'en doute, pris d'amour l'un pour l'autre, et son visage si beau, si près du mien, tel un risque, me donnait le vertige; si la beauté, comme l'ont prétendu certains, doit être convulsive ou ne pas être, le visage d'Antigone resplendissait alors d'un état de calme convulsif.

Dans la chaise berçante, dont les poils de paille hirsute dépassaient de-ci de-là, Oedipe, le vieil aveugle, que je considérais presque comme nom beau père — j'étais rapide en affaire —, le visage tourné vers son ciel éternel, paisiblement se balançait.

Et Antigone se rendormit tout en prenant la parole:
— Elle n'avait pas de tête sur les épaules, maman, commença ma compagne.

J'en fus fort extrêmement impressionnée.

Où avait-elle pu remiser cette indispensable part du corps humain?

J'étais médusée. Rien de moins.

Je jetai un coup d'œil alentour de moi, pour être bien certaine que je n'hallucinais pas ou n'étais en train de revirer folle, tant j'avais l'étrange révélation de me retrouver devant un cas dépassant les limites de l'ordinaire entendement humain.

Et alors, elle se mit à marcher dans ma direction, et je la reconnus.

Jocaste.

Tel fut son prénom.

Moi, Antigone, je sais que je ne pourrai jamais lui régler son compte, qu'elle est immunisée contre toutes les sortes de malveillance, qu'elle ferait damner une sainte, la salope.

J'ai si peur, si peur de lui ressembler lorsque j'imagine sa naissance, et mes mains autour de son cou, son cou de nouvellement née que mes mains étreignent comme si sa mort eût pu me servir de bouée de sauvetage, de centre de gravité d'où je pourrais m'évader. Ô si le gars d'en haut, l'hypocrite, lecteur, pouvait se pénétrer d'un peu plus de bravoure, quitte à se prendre pour un conquistador, et me faire basculer cette piège-femme de son promontoire, mausolée à tête d'énigme épinglée sur le chef d'un caporal de police.

Mais cela reste lettre morte, pendant que seule à souffrir de l'ombre qui saillit hors du miroir que feint de ne pas voir la défunte, je n'ose m'interroger sur la nature intrinsèque de celle qui fut ma mère et de celle de mon père aussi.

Funeste engeance, par quel bord, par quel côté, faut-il te prendre et te soumettre à mon imagination? Ne vaudrait-il pas mieux prendre d'assaut l'épave d'un vaisseau-fantôme?

Et n'aurai-je pas tout perdu, dilapidé, au bout de tout ce compte, même si je me torture les méninges à tout rompre?

Bizarre.

Elle m'apparaît tout d'abord, en son adolescence, vers ses treize ans, sous les dehors de la petite Jehane de France.

Le fait qu'elle ait été l'aînée, suivie par une ribambelle de six garçons, explique qu'elle ait travaillé à la ferme familiale environ la moitié de l'année et que le restant de son temps de labeur se soit passé à l'école du village de Saint-Pie, non loin de Saint-Hyacinthe. Les journées sont longues à garder les moutons, et lorsque l'ennui la conquiert, au lieu de prier sainte Catherine ou sainte Marguerite, et en cela, elle se différencie de la pucelle d'Orléans, elle s'amuse à faire bander les boucs et les béliers, se découvrant ainsi l'exceptionnel pouvoir d'influer sur la part virile des animaux. Puis, il se créa un désaccord chez ses parents: le père jugeait qu'il avait trop besoin d'elle sur la ferme, et la mère souhaitait qu'elle continue ses études: c'est la mère qui eut gain de cause et Jocaste alla étudier dans un couvent, pensionnaire, à la ville.

À l'âge de seize ans, après une prise de bec avec son paternel, elle se résolut de faire des avances à un jeune homme du village, Laïos Courtemanche, et parvint sans peine à s'en faire épouser en se servant de l'expérience acquise auprès des bas instincts des bêtes.

Le couple déménagea à Montréal, comme il en a déjà été fait mention précédemment, où eurent lieu leurs premiers mois de naufrages quotidiens et les beuveries de Laïos.

Survint la gestation d'Oedipe, alors que peut-être pour la première fois elle se découvrira enfin de l'amitié pour un être humain, pour celui qu'elle portera neuf mois en son sein.

Ce laps de temps achevé, Laïos, pris d'épouvante et de jalousie, tenta de se débarrasser de l'intrus; n'ayant point la voracité nécessaire pour le faire lui-même, il projeta de faire mourir l'enfant en le déposant au fond d'une boîte de carton, qu'il remisa, en pleine nuit, auprès d'autres rebuts que les éboueurs devaient bientôt dégager de la rue.

Cependant, du sang ayant imbibé et traversé ladite boîte, et les hurlements de l'enfant mirent, si on peut dire, la puce à l'oreille de Raoul Berger, l'un des vidangeurs, qui découvrit ainsi Oedipe encore en vie; la sœur même de ce travailleur œuvrait en tant que bonne, soubrette, femme de ménage (appelez ça comme vous voulez) et la veille au soir, lors d'une partie de cartes, elle avait narré que sa patronne venait d'accoucher d'un bébé mort-né, incident fort malencontreux car en sus de la peine occasionnée par la perte de l'enfant, les infortunés parents voyaient leur échapper l'héritage d'un grand-oncle très riche et tout près de sa fin, lequel, dans son testament, léguait tout son avoir aux œuvres de charité si le couple ne pouvait se donner un héritier avant que lui-même, le vieux grand-oncle, ne rende l'esprit.

La couche, même si rendue à terme, s'étant avérée fausse, les malheureux n'avaient pas encore ébruité l'affaire, et Oedipe, si on peut dire, tombait à pic, puisque le vidangeur quitta momentanément son travail et emporta la précieuse boîte jusque chez sa sœur; c'est ainsi que le fils de Jocaste et de Laïos Courtemanche fut vendu à monsieur et madame Edward King, richissimes héritiers ayant pignon sur rue à Westmount, P.Q. Seuls ses pieds avaient été blessés, et même troués, au cours de cette aventure, blessures qui le laisseront légèrement claudiquant pour le restant de ses jours.

Jocaste continua pour sa part à vivre aux côtés de Laïos, qui, au bout de quelque temps de chômage, fut engagé pour faire partie de la force constabulaire de la ville de Montréal.

Le couple n'eut jamais d'autres enfants, d'une part, parce que Laïos, mal départi de sa crainte obsessionnelle, préférait se retenir de moudre son blé dans le moulin de son épouse plutôt que de risquer de voir apparaître un autre fétu de chair, et que, d'autre part, Jocaste ne prit pas d'amant; Laïos l'aurait tuée, s'il l'avait su, pensait-elle non sans raison.

Et voilà seize années qui passèrent dans ces conditions, puis Laïos mourut, assassiné par un jeune voyou, sur le Mont-Royal.

Grâce à une pension de veuve d'un officier de police décédé en service, elle put commencer des études en soins infirmiers, et nous la retrouvons, quelques mois plus tard, déambulant sur les trottoirs de Cartierville, tout près de l'hôpital auquel elle est attachée.

Le veuvage lui seyait à merveille, eût-on pu dire d'elle, en ce temps-là et c'était vrai, le noir lui allait très bien, lui donnait des airs de soupirante fatale. Mais elle l'ignorait. Il lui fallait découvrir son originalité profonde, s'habituer à accueillir la présence omnipotente que Laïos avait empêché d'amadouer. Faire comme la plus com mune des mortelles, se maquiller, se polir les ongles, épiler les poils récalcitrants, plaire, non pas tellement aux hommes, puisqu'elle les avait maintenant en sainte horreur, mais à une femme, elle-même, et rire, bon dieu, oui, rire, de cet éclat de perle qui sourd parfois de l'âme humaine.

Elle feuilletait les revues de modes, décelait le goût pour ses propres goûts, la senteur des saisons, et la sensualité d'un corps inconnu, le sien encore, surveillait l'effet de ses nouveaux bijoux, celui d'un collier tombant qui faisait ressortir la secrète souveraineté de sa gorge ou bien ces bracelets dont elle feignait de subir la chatoyante lumière.

Les jeunes hommes attiraient quelque peu son attention, elle pensait pouvoir s'y miroiter même si elle rêvait à Laïos encore toutes les nuits, comme hypnotisée par le souvenir de ce dernier, par la figure en lame de couteau qu'il lui présentait.

Or, un après-midi de septembre ou d'avril, peu importe, alors que son humeur solitaire s'enveloppait d'une sensuelle joie de vivre, par les rues de la ville arpentée, s'en revenant de l'hôpital où elle tâchait d'apprendre son métier avec persévérance, surgit un groupe d'adolescents dans sa direction, et qui portaient l'un des leurs en triomphe.

«Here comes the king, s'égosillait la jeunesse à qui voulait bien les entendre, he beats the Sphinx.»

Pour Jocaste, cela demeurait du charabia car elle ne connaissait pas les rudiments de la langue angloise et de plus, même si elle habitait à proximité du parc Belmont, elle ignorait la présence sur ce terrain d'amusement, en plus des manèges qui de leurs hauteurs crèvent la vue des passants, d'une attraction spéciale, inspirée par un mythe grec très ancien, celui qu'une affiche représentait comme étant la Sphinx la plus grosse au monde, the biggest in the world.

Le challenge consistait à braver le regard de la pachydermique créature: le premier qui, du client ou d'elle-même, clignait de l'œil, avait perdu; si par hasard on réussissait à faire ciller du regard l'ingénue aux grâces si peu modestes, ce qui n'advenait que très rarement, la cagnotte était raflée.

Le montant de cette dernière se chiffrait alors aux alentours de cinq mille dollars.

Or, ce qu'il y avait d'assez fantastiquement étrange, c'est que la ventripotente curiosité possédait de plus en plus la réputation de porter malheur aux jeunes matamores qui venaient se confronter à sa personne. On ne comptait plus les exemples de ceux qui avaient eu des accidents de motocyclette, d'automobile, qui s'étaient noyés ou qui étaient décédés d'une manière ou d'une autre, les heures suivant celles où ils avaient tenté de supplanter la Sphinx.

Et voilà qu'Edward King Jr., jeune anglophone d'une dix-septaine d'années, avait vaincu l'invincible.

Enfin!

Celui-là n'était, on s'en doute, autre qu'Oedipe.

Après huit minutes, ce qui représentait déjà un record, elle avait esquissé un sourire; Edward avait répondu à cette grimace, et cela sembla interloquer l'ogresse, laquelle monstrueuse dame cligna légèrement du chas de son ouverture sur le monde, puis, prenant conscience de sa défaite, sous les huées de l'assistance, se mit à rire, à rire, à rire à en défoncer sa rate, si bien qu'elle tomba en une syncope qui lui fut fatale.

Tous ceux qui furent témoins de cette chute éléphantesque et virent s'effondrer cette masse monumentale de son piédestal, n'allaient pas en revenir de si tôt.

Et Edward avait gagné.

C'est quelques minutes après ce triomphe, alors que ses compagnons le portaient sur leurs épaules, qu'il leur demanda de le déposer par terre, de s'en aller au Pérou constater s'ils n'y trouveraient pas des vestiges de perdrix et que, sûr de lui, il accosta Jocaste en lui demandant son prénom.

— Jocaste, finira-t-elle par répondre, amusée.

— You are a fair lady, continua le jeune homme.

— Je ne comprends pas, répondit-elle.

— Je vous aime, fit-il, avec frénésie et insolence.

— Prouvez-le, répondit-elle avec grand éclat de rire.

Et c'est ainsi qu'il lui emboîta le pas. Il était beau comme un jeune dieu, trouvait-elle, lui ressemblait, la forme du nez, l'ovale du visage, et les yeux, les yeux très foncés, presque noirs, et elle n'eut même pas peur lorsqu'il la déshabilla, se caressèrent et qu'il pénétra en son jardin soyeux, et que pour la première fois de sa vie, à l'âge de trente-trois ans, elle connut les vraies joies reliées aux échanges amoureux, bien qu'inexperts ils fussent tous les deux.

DIX-SEPTIÈME VISION DU MYTHE
L'innommée

Alors, croyez-moi, je porterai toutes les peines de la vie
aussi facilement que le cap Tourmente porte les gouttes
de rosée.

Laure Conan

Après avoir été bien attentif à la parole d'Antigone, je
me levai et m'aperçus que quatre heures de l'après-
midi scintillait aux aiguilles de mon horloge grand-père,
ce qui fit que je me hâtai de faire un brin minimum de
toilette, m'habillai, et sortis afin de faire quelques achats,
puisque les magasins ferment à cinq heures et que nous
étions alors le vingt-quatrième jour du mois de décembre.

Pour une fois que j'avais des invités pour le réveillon
de Noël, la première fois depuis plus de quinze ans, je
n'entrevoyais pas de faire les choses qu'à moitié, prenez-
en ma parole.

Je jetai mes dévolus sur un rôti d'agneau du Québec,
que j'imaginais déjà piqué d'ail et fondant dans la bouche,
ainsi que sur deux bons magnums de vin rouge, tiré des
vignes de Bourgogne, en bonne vieille, lointaine et
ancienne France.

Revenu au logis, je dormis un peu, jusqu'à neuf
heures et demie, aux côtés d'Antigone, pendant que le
père épluchait une pomme afin de s'en sustenter ou bien
tendait son visage vers le ciel, implorant dieu sait quoi,
peut-être des idées, car il ne parlait jamais, semblait à
court de pensées.

Ensuite de quoi, je préparai le repas, et allai me
promener avec ma moure d'Antigone qui s'appelait
maintenant Émilie, pour des raisons d'ordre tout à fait

subliminal, et je puis écrire que j'avais le cœur d'une telle manière qu'un autre individu eût pu qualifier cet état se rapprochant de la béatitude, preuve que si on peut y gagner en lucidité, l'athéisme coûte cher de beaux mots. Les rues respiraient d'une mystérieuse existence, ces vieilles rues du Vieux-Montréal, sous la lumière des lampadaires solitaires et des reflets divers.

Mais, parbleu, il était déjà presque minuit, il fallait se hâter pour retourner à la maison.

Sur le parvis de l'église en dessous de laquelle j'habite, une femme, le visage grimé comme je n'avais jamais vu ça de ma vie, pleurait tout en marmonnements; Émilie et moi ayant à passer tout près d'elle, nous l'avons entendue dire qu'elle aurait bien aimé trouver un porte-monnaie de richard, afin d'en partager les revenus avec l'Enfant-Jésus et la Vierge Marie à qui sa prière était adressée, et elle se plaignait d'avoir ses pauvres mains toutes gelées.

Nous lui avons demandé, quoique gênés, de venir partager notre réveillon, et à notre grand joie ainsi qu'à la sienne, elle accepta, se perdant en remerciements, presque empreinte de dévotion à notre égard.

Pendant que nous nous dirigions vers le lieu secret de mon gîte, elle nous apprit qu'elle se nommait Charlotte Cordier, mais qu'on l'avait surnommée la Charlotte de Notre-Dame parce qu'elle hantait les façades de l'église du même nom.

Curieux que je ne vous y aie jamais rencontré, pensai-je, alors qu'elle nous demandait nos identités, à mon amie et à moi.

— Émilie, fit la fille d'Oedipe.

— Et vous, monsieur, mon bon monsieur? me demanda la Charlotte, presque en extase, n'en revenant pas encore de s'être fait inviter.

— Oh moi, Fortinbras, vins-je pour répondre, mais

nous arrivions, et je me la tins coite, indiquant à mes deux compagnes de faire semblablement, d'être prudentes.

Le fumet qui se dégageait de mon abri m'alla droit aux papilles. Quel arôme, quelle abondance!

Et je pensai, sentant vibrer au fond de moi les douze coups de minuit, savourant une rare bienfaisance: «Oedipe Roy, sa fille Antigone ou mon Émilie précieuse comme jade, à votre goût, et la Charlotte de Notre-Dame, voilà sans doute des invités de marque pour... pour... pour un bossu, tel que moi.»

DIX-HUITIÈME VISION DU MYTHE
La noire

La lumière luit dans les ténèbres.
Jean l'Évangéliste

Puis, impétueuse et déchaînée, l'ère de la déréliction s'abattit sur mon être et les fenêtres se refermèrent avec violence sur mon âme.

Je me souviens, c'était un matin peu avant l'aube, il pleuvait: Antigone était blottie entre mes bras et je ressentais toute l'atmosphère de ce début du jour me traverser comme monts et merveilles.

L'inquiétude, la marâtre inquiétude, prise au piège de la bonté, tout hébétée, n'avait plus de prise sur moi et ses immenses pinces happaient du vide, impuissantes devant l'autorité qui émanait du bonheur, lequel montait, montait, bandé comme un arc dont la flèche déborde et gicle de gratitude.

Alors comment expliquer ce qui advint par la suite? Cette perte de contrôle qui occasionna en quelque sorte ma chute?

Sans doute que le fait d'avoir vécu en ermite pendant si longtemps me rendait d'une part fasciné par la présence pourtant toute simple d'Antigone, mais d'un autre côté, cette fascination me dépassait et me faisait douloureusement anticiper le jour de son départ.

Je devenais grotesque à mes yeux et ces derniers, les inéluctables porteurs de mes insupportables regards, se dirigeaient invariablement vers la présence d'Oedipe, et s'engouffraient dans le désir de l'assassiner, car, lui disparu, je me disais que ce serait la crainte de perdre mon amie qui se volatiliserait.

Peu à peu, je devins avare de la distance que nous avions su créer entre nous, et sans laquelle il n'y a pas de relation possible.

Je les épiais, le père et la fille, surveillant les trots et galops de leur naturel afin de pouvoir prendre au piège une quelconque petite bête noire, de plus en plus convaincu qu'ils allaient bientôt m'abandonner, ainsi que l'on fait d'un buvard trop imbibé de vinaigre, d'un poisson regorgeant de mercure.

Mais la cause lancinante de tous mes effets secondaires, force m'est de l'avouer, c'était que je trouvais de moins en moins compréhensible qu'une femme aussi belle qu'Antigone pût m'aimer, moi le désavantagé, à la bosse quétaine et non abolie.

Ce que j'aurais donc dû poser un mors à ma langue, ce matin-là. Qu'avais-je donc eu tant besoin de me plaindre alors que je vivais, et d'ô combien loin, les plus riches heures de toute mon existence?

Quel démon me poussa, alors que se terminait le petit déjeuner, à m'approcher d'aussi près du soleil et de demander s'ils savaient quand ils allaient me quitter? Le moment présent eût tout aussi bien pu suffire à la tâche, pourtant. Antigone me dévisagea, comme elle seule sait le faire, avec une tendre gravité, et me répondit que ce serait son père qui en déciderait, peut-être demain, peut-être dans deux semaines, trois mois, un an, elle l'ignorait, en ajoutant qu'ils avaient encore quelques pépites d'or en leur possession, si par hasard la grève aux postes devait s'avérer plus longue que prévue, et que cette situation réussisse à percer le jour, au fond de mes goussets.

Je trouvai cela quelque peu intrigant, cet or, mais il devait sans doute être écrit depuis l'éternité que je m'enfoncerais, ainsi qu'un char à bœufs sur un chemin de campagne des plus boueux, dans un enlisement des plus totaux, car je revins dare-dare sur mon sujet premier.

— Et moi là-dedans, qu'est-ce que je deviens, une vieille guenille que l'on jette quand elle n'est plus bonne à rien? lui demandai-je.

Misérables mots, sournoises et ingrates paroles, responsables des dégâts dont j'étais en quelque sorte le bourreau et la victime, que j'aurais donc dû vous retenir, ainsi que l'on retient son envie de boire quand on est alcoolique et amoureux à la fois.

Mon amie me considérait avec effroi, mais peine perdue, il fallait que je triture, que je prenne plaisir à salir, à bafouer, à mordre, que j'enduise de laideur l'amour de celle qui m'avait le plus donné, simple crétin, complet idiot, quintuple buse que je fus.

Et je questionnai, sur un ton des plus inquisitoriaux:

— Comment réussis-tu à me faire l'amour quand même, Antigone?

Elle eût très bien pu se taire, mais répondit à ma question avec douceur:

— Je n'aime pas les hommes ordinaires, Pierre.

J'en figeai de saisissement, la bouche littéralement bée, prête à gober toutes les mouches de l'univers, passant du vert écarlate au jaune le plus cramoisi, estomaqué par la raison que son amour invoqua pour ma triste personne. Je vins pour m'enquérir si c'était alors avec ma bosse qu'elle baisait, mais ayant avalé ma salive de travers, je m'étouffai, sans doute de rage, ou de honte. Nom de Dieu!

Je m'éloignai par conséquent, à contrecœur, des lieux de notre discussion, en vue de maîtriser ma ridicule colique, mais afin de revenir aussitôt, pour récidiver, plus que jamais résolu à vider la question, m'illusionnant de semblable façon que depuis si longtemps, je rêvais qu'en pressant très fort sur mon dos, du pus finisse par en fuser et ma bosse par s'aplanir.

Antigone ayant commencé à faire couler l'eau pour la vaisselle, je m'emparai machinalement d'un linge à essuyer et je repris, en tentant de garder mon sang-froid:

— Si je n'étais pas bossu, tu ne m'aimerais donc pas?

— Ta bosse, c'est ce que tu possèdes de plus beau, me répondit-elle, candide.

Cet aveu eût pourtant dû me suffire, j'étais tombé sur une originale, voilà tout. Mais non, bougre d'imbécile, je continuai de plus belle dans mon embourbement, et, avec le ton mordant de la jalousie, osai lui demander si elle en avait aimé plusieurs avant moi?

Je sentis bien qu'elle hésitait, et vint pour me répondre que cela ne me regardait pas, mais elle finit par me dire, comme si c'était sans grand intérêt:

— Quelques-uns.

— Combien? lui demandai-je, avec rudesse.

C'en était trop, la goutte avait fait déborder le cratère; elle me jeta un dirty look, je veux dire un regard furibond, et s'emparant de son châle, elle disparut dans le passage menant vers l'escalier, vers l'hiver pluvieux qu'il devait faire là-haut.

Je demeurai donc seul avec son bon dieu de père, et il me fallut toutes les ressources rattachées au bon sens pour ne pas que de mes mains, je resserre l'étau autour du cou de ce dernier.

C'est tout juste si je pus me faire la réflexion que peu importe le temps que ça dure, l'important était d'aimer.

J'étais rendu à mille lieues de moi-même, et ce fut vraiment alors qu'impétueuse et déchaînée, sans issue et pourtant si réelle, l'ère de la déréliction s'abattit sur mon être, refermant avec violence les fenêtres sur mon âme.

Tant d'aveuglements, ô dieux.

Ce fut comme si je m'étais retrouvé en bas de la place Ville-Marie, en plein midi, et que le haut édifice montréalais, en profil sur le ciel bleu, se soit mis à osciller devant les regards éperdus des nombreux passants dont je faisais partie, pour ensuite tomber par panneaux énormes, et que, malgré toute l'horreur de cette catastrophe, je me sois découvert miraculeusement en vie, mais métaphoriquement transformé en quelque bête à la couenne d'acier, un rhinocéros, crocodile ou alligator, qu'un bambin tient en laisse au bout de son bras en lui disant parfois: «Allez papa, viens, viens, papa, c'est pour ma première communion.»

Ce fut un peu comme cela, sans exagération aucune.

C'était d'une tristesse colossale, à s'en mordre les pouces de ne pas être né manchot, au point de me sentir pareil à un point sur un i, en dessous d'une pile de dictionnaires trop lourds à porter, à un degré de non survivance que je n'avais encore jamais rencontré; c'était à m'en faire perdre la raison, ce que je fis, avec la démarche du désespoir, semblablement aux parents qui se virent contraints de semer le petit Poucet et ses frères.

Il faut comprendre.

D'abord, je n'avais jamais été informé, et pourtant je lisais fidèlement, consciencieusement, et depuis fort longtemps, un quotidien du matin, qu'une belle journée surviendrait, à l'improviste, comme une voleuse, où je trouverais devant moi, en chair et en os, la possibilité de me faire aimer par une personne du sexe féminin; je n'avais jusqu'alors connu, de toute mon existence, de toucher et de câlin, que quelques rarissimes étreintes lors des excursions effectuées chez les prostituées.

Je ne sais plus au juste comment cela se produisit, si ce n'est que pris de vertige, j'allai m'étendre sur le sofa et qu'au fond de ce refuge, des cauchemars se mirent à me faire osciller dangereusement l'esprit.

Infailliblement, cela se dessinait sous la forme d'un taureau qui fonçait sur une rouge cape de corrida, après quoi j'avais la surprise de pénétrer dans un salon de barbier et de constater que c'était le pape, encore lui, qui se tenait ventru, en arrière de moi.

De but en blanc, il me demanda quelle sorte de coupe je souhaitais me voir offrir; sans hésitation, je lui répondis: «Débordante et dénuée de vulgarité, votre Sainteté.» Cette Dernière se mit alors à chanter d'une voix de ténor italien, sur l'air des bijoux de la Castratrice: «Ah, que cela est triste de se voir si affreux en le dedans de ce miroitier.»

Au-dessus du miroir, dont je ne me rappelle plus s'il s'agissait de celui du devant ou du derrière, le nom de mon coiffeur était inscrit: «Figaro». C'est ainsi qu'il prétendait se nommer, le bonhomme, aussi peu québécois que je suis hollandais, lequel Figaro appuyait légèrement sur ma gorge en mal de repentir la longue lame de son rasoir à régulariser les favoris, et il me demanda, d'un ton mi-féroce et mi-badin: «La gorge ou les couilles?»

— Les gouilles, voulus-je répondre, en espagnol peut-être, mais je m'éveillai en sursaut, un hurlement du diable poussé hors de moi.

DIX-NEUVIÈME VISION DU MYTHE
La guérisseuse

Les Anglais «considèrent la mer comme une grande guérisseuse».

Lacretelle (cité par Robert)

L orsqu'Antigone revint de son absence et me considéra en ce pauvre état, elle s'empressa, afin de tendre la perche à ma guérison, de faire appel à un vieux médecin, le docteur Schnock, un Chinois de race noire parlant allemand avec un fort accent canadien.

— Alors docteur? fis-je avec beaucoup d'appréhension, après m'être laissé examiner de fond en comble, et tutti frutti, par le vieil original oriental, négroïde, germanophile et quelque peu québécois.

— Vous souffrez d'une imprécision de caractère qui pourrait dangereusement se transmuer en une dépersonnalisation des plus complètes de tout votre être et vous mener ainsi à une mort certaine par voie de ridicule ou de déréliction, c'est selon, mais cependant, ouf des oufs, vous avez fort bien fait d'en appeler à mes services car je suis tout indiqué, et madame est servie, déclara-t-il avec une terminaison en forme de queue de poisson, et tout en se dirigeant vers l'évier afin de se servir une bonne rasade d'eau de vaisselle qu'il s'envoya derrière le gorgoton avec grande délectation ainsi que moult gnongnons.

J'avais honte de l'avouer mais je ne comprenais goutte à tout son avancé savamment exposé, au docteur, et je me sentais comme un gros orteil qui sert de bouc émissaire à des excès de table dont la première responsable, la bouche, paraît pourtant bien éloignée de lui.

— C'est curieux, mais je ne comprends pas, finis-je

par avouer, rempli de honte et d'incertitude jusqu'aux genoux.

— C'est pourtant pas compliqué, vous souffrez d'embrouillamini, mon petit ami, d'imbroglio, si vous préférez, de méli-mélo, de désarroi, de démence précoce due au rhume ainsi qu'à tout ce qui nous précède, et surtout, surtout — et le médecin d'inspecter les environs comme si la prochaine expression eût pu effaroucher un quelconque animal, un ours par exemple, qui se serait, en même temps que sa peau, enfui, il confessa: — de confusion à profusion.

— Ah bon, fis-je, quelque peu médusé.

— Cela peut arriver dans les meilleures familles, continua-t-il, mais plus particulièrement chez celles dont le progéniteur a trempé dans quelques histoires d'espionnage ou d'agitation prétendument politique. Que faisait le vôtre? Soignait-il des chimpanzés, espérait-il parvenir à désintégrer l'atome par l'étude approfondie de la poésie d'Émile Nelligan, recevait-il des coups de pied au derrière, s'ennuyait-il de sa maman, crousait-il des infirmières, prenait-il des vessies pour des lampions?

— Je ne sais pas, je ne l'ai pas connu, répondis-je.

— Et votre mère?

— Non plus.

— Comment dites-vous?

— Je ne les ai pas connus.

— Erreur, mon jeune ami, grave, et je dirais même, je dirais même plus, double, grossière, fatidique quoique bien compréhensible erreur, fit-il en se récurant les oreilles au moyen d'une petite tige en bois à bout ouaté. C'est d'ailleurs là une autre manière de désigner votre maladie, laquelle n'a de caractéristique à proprement véritable que d'être humain. Errare humanum est. L'erreur est humaine. Et voilà pourquoi Dieu a été créé, afin de suppléer à cette lacune, si vous voyez où je veux en venir.

— Je crois, répondis-je, sans beaucoup de ferveur.

— Il faudra vous armer d'un courage olympien, d'une patience exemplaire et d'un calme à toute épreuve — l'ennemi est de taille — tout en vous mettant à opérer des sondes et des fouilles et des fouilles et des sondes à l'intérieur de ce qui vous est le plus secret, le plus fermé et le plus précieux car c'est là, et là seulement que vous pourrez réussir à recouvrer la mémoire de vos ancêtres perdus en même temps que l'espoir d'une guérison qui y est intrinsèquement reliée, monsieur?

— Quoi monsieur? répondis-je un peu nerveusement.

— Comment vous appelez-vous? précisa-t-il.

— Ah! fis-je, en comprenant tout à coup, je n'ai qu'un prénom, et c'est Pierre.

— Vous n'avez pas de nom de famille?

— Pas pour le moment. On m'a surnommé le Bossu.

— Alors j'inscrirai Pierre le Bossu.

— Si vous voulez.

— Je veux. Adresse?

— En dessous de l'église Notre-Dame.

— Ouais, nous n'allons tout de même pas signaler cette singularité, car je suppose que vous préférez, et de beaucoup, que cela ne s'ébruite pas, n'est-ce pas?

J'acquiesçai.

— Téléphone?

— Il n'y en a pas.

Le coucou passa à ce moment-là au-dessus de nos têtes, avec trois heures de l'après-midi dans le bec; et je demandai:

— Ai-je des chances de m'en sortir, docteur?

— Ça va dépendre.

— De quoi?

— Du sérieux avec lequel vous vous servirez de tout ce que j'inscris présentement sur ce bout de papier, c'est-à-dire tout d'abord, d'une filandre de Finlande, également connue sous le joli vocable de «fil de la vierge». Si par malheur cela devait s'avérer inefficace, je vous ai également prescrit un scaphandrier en flanelle, et si ça ne suffit toujours pas, en toute dernière instance, vous pourrez vous servir d'une trompette de Jéricho, mais avec autant de prudence que s'il s'agissait d'un petit bébé d'amour.

— C'est tout?

— Oui et non. Permettez-moi de vous prodiguer quelques conseils: consommez le moins possible de cigarettes ou autres engins de semblable destruction, et...

— La pipe aussi? interrompis-je.

— Ne soyez pas stupide, mon petit ami, il faut être porteur d'une certaine sagesse aux coins des lèvres pour pouvoir pomper à de pareils tuyaux, et tel n'est pas votre cas. Ensuite, puisque nous sommes aujourd'hui le mercredi des cendres, profitez-en donc pour commencer à penser à votre salut, vous n'êtes guère croyant, pour employer un euphémisme, et je suis bien placé pour le savoir, mais une bonne partie de vos aïeux le furent ou se sont tout de moins crus tels, vous ne pourrez dorénavant en faire abstraction, d'autant plus que ce sont leurs fantômes qu'il vous faut tenter d'amadouer, en votre âme et conscience, afin de vous arracher des ténèbres où vous a conduit votre imaginaire en mal d'amour.

«Malheur à la ville dont le prince est un enfant», continua le docteur tout en jetant un coup d'œil du côté d'Antigone qui s'amenait discrètement afin de savoir si on avait besoin de ses services.

— Par ailleurs, fit-il, mangez donc un peu moins, cela vous permettra de méditer sur le sort cruel que subit la moitié de l'humanité, en train de mourir d'inanition à la seconde où nous nous parlons et cela ne pourra que vous rendre moins sensible aux pseudos-douleurs de votre ombilic cornélien.

— Vous n'y allez pas avec le dos de la braoule, docteur.

— Ce ne serait pas dans votre intérêt, patient; quant au reste, continuez à vivre comme si de rien n'était, à moins que des serpents ne se mettent à siffler au-dessus de votre tête, car alors il vaudrait évidemment mieux piquer une plonge dans le prochain canal venu et avoir auparavant appris à nager, si ce n'est d'ores et déjà fait. Allez moussaillon, je m'en vais, à chacun son heure, fit le docteur, en me serrant le pied droit à tout rompre.

— Honoré d'avoir fait votre connaissance, madame, fit-il à Antigone, singulièrement honoré même, et j'ajoute-rais — il pouffait de rire tout en disant cela et se tapait très fort sur les cuisses — balzaciennement honoré.

Antigone le trouva épais, ce qui était bien son droit.

Et il sortit.

VINGTIÈME VISION DU MYTHE
La pendante

Au temps

Les felouques lugubres qui passent sur le canal sont
habitées par des goules, la tête enveloppée de chiffons.
L. Durrell,
Justine

Le lendemain, c'était dimanche toute la journée.

En parcourant les colonnes zartistiques d'un journal
de la veille, une idée, saugrenue, un peu sophistiquée,
d'ordre cinématographique, sans crier aéroport, ni termi-
nus, sans même crier gare, prit la décision de poser ses
bagages en nos esprits et d'adresser à nos visages quelques-uns de ces sourires au charme si rare que nous nous
empressâmes d'y souscrire illico.

Deux représentations filmiques nous intéressaient
plus particulièrement. La première avait pour titre: *L'autre
virage de Thomas d'Aquin*, et faisait état, d'après la
publicité, des mésaventures d'un coureur automobile à
qui on espérait greffer une ombre de dramaturge éliza-
béthain.

La seconde, sur laquelle notre choix se fixa, s'intitu-
lait: *Deux épisodes dans la vie de H. de Heutz*, et,
toujours selon la réclame, profitait des dehors d'une
intrigue policière, dans le but ultime de traiter des ravages
causés par la superstition au sein de nos sociétés moder-
nes et occidentalisées.

Après avoir absorbé un grain d'ellébore, et avant de
sortir de mon palais souterrain, par précaution, je fourrai
la filandre de Finlande dans une de mes poches; Oedipe,
dans son coin, grignotait un os de seiche, et après l'avoir
salué, on monta jusqu'en haut, jusqu'à la rue qui nous

reçut, Antigone et moi, radieux comme des marmottes au sortir de l'hiver, hallucinant, et pourquoi pas, devant la fantastique vision du rocher Percé en train de couler comme un bateau dans l'océan, avec en arrière-plan, dans le trou, un astre jaune pâle et rond qui tombait et dont on ne savait s'il s'agissait au juste de la lune ou du soleil.

Et tout doucement, nous enlignâmes nos pas vers le cinéma Parallèle, boulevard Saint-Laurent, sur la «main», comme on dit en bon québécois. Il nous fallait beaucoup d'indulgence pour affronter la malpropreté avec laquelle les fêtards de la veille avaient laissé les artères de la cité, mais nous en avions de rechange, et décidâmes, contre vents et marées, de semer de la bonté, de dire oui à tout, même aux crachats et aux vomissures, de faire du laid, notre premier cheval de bataille.

Hue Cocotte!

Petit pas va loin et nous réussîmes de la sorte à passer au travers du bas de la ville, ainsi que jadis d'autres humains ont pu franchir le Rubicon, le Jourdain, ou le détroit de Behring.

Le cinéma Parallèle, en ce temps-là où se trouve à nous conduire le fil de ce récit, ressemblait à une salle pour lilliputiens, à peu de choses près, et nous devions accepter de partager une promiscuité à laquelle ne nous avaient point habitués les salles de cinéma ordinaires.

Je craignis, en ces conditions, que la panique ne s'empare à nouveau de mon cerveau et ne lui fasse subir le supplice du grand éclatement à la hune: la veille au soir, j'avais appris, non sans frémir, que ma tête, dans son ensemble, pouvait parfois ressembler à un immense puzzle de verre.

En conséquence, ne voulant pas prendre de chance, je dévidai le fil de la vierge et commençai à me glisser à l'intérieur de la bobine qui allait bientôt dérouler sa pellicule.

Mais auparavant, je chuchotai un nom, celui d'Irma, la douce.

— Quoi? me répondit Émilie.

Mais je n'avais rien à lui dire, simplement besoin de savoir qu'elle était là, qu'il y avait au bout de la main que je tenais englobée dans la mienne, un être dont j'aimais la présence et la voix.

J'avais peur, aussi bien le dire au plus tôt, mais pas à haute voix, peur de ne plus avoir rien à dire, et qu'on m'arrache le cœur et la langue. Ô Saints-Martyrs québécois!

De semaines en semaines, de jours en jours, d'années en années, depuis tant de mois, je ne connaissais de l'intérêt que l'on me vouait que celui des quolibets et des sarcasmes, sans compter les regards narquois.

«La bosse, aplatis-toi», me disait-on régulièrement, lorsque j'étais dans le chemin.

«Quand est-ce que tu vas t'acheter un rouleau compresseur?»

«Demande à ta femme de s'asseoir dessus, le soir, avant de te coucher.»

«Ah! il n'est pas marié!»

«Pourtant, un beau gars comme lui!»

Toutes ces phrases, et bien plus, qui me rendirent le peuple au sein duquel je suis né, en abomination, jusqu'à ce que je m'aplatisse, en effet, et comprenne que s'ils ont tant besoin d'un souffre-douleur, c'est qu'il doit être grand temps pour eux de renaître.

Parfois, la révolte reprenait le dessus: dans le temps des Fêtes, surtout. Leurs maudites Fêtes.

«Le plus malheureux de tous les hommes», me surnommais-je, pendant ces heures de travail-là. Si au moins j'avais su faire quelque chose de mes dix doigts: même pas.

Alors, rendu chez moi, je rêvais que j'avais une

famille, des enfants, mais je finissais toujours par penser à mes compagnons de travail, à leurs femmes, et je m'imaginais les voir faire l'amour, tandis que mon esprit se perdait dans l'humus de leurs poils follets et luisants.

Je les accusais de me voler mon âme, de ne pas se soucier de faire attention aux autres, d'être des inconscients.

C'était peut-être naïf, chrétien et bien de chez nous, que cette manière-là de ressentir! Ce fut jusqu'au sommeil que je les accusai de me voler.

Devant la tournure des événements que prenaient mes insomnies, je les voyais m'entraîner jusqu'au sommet de la montagne où mon père est mort et m'enchaîner à un rocher; lorsque je parvenais enfin à me déprendre de mes liens, à l'aube, c'était pour repartir en errance, de corridors en labyrinthes, au grand risque de me perdre, et préférant pour la plupart du temps prendre refuge dans les égouts de l'irréalité plutôt que d'affronter la douleur du jour en mes yeux nourris d'obscurité.

J'ambitionnais, pauvre innocent, de pouvoir faire mon entrée ailleurs qu'au département de Vampirisme de leur sainte universalité.

Mais que c'est loin tout cela, trop loin de moi, et je vais trop vite, les mots me crient au secours du fond de ma gorge, tandis que la pellicule qui se déroule en noir et blanc me cisèle le dedans des mains. Moderate Cantabile. (Woo beck.)

Là où je rêvais d'aller, mais où ma bosse m'obstruait l'entrée, à cette institution de haut savoir perchée ainsi qu'un nid de pygargue, à chaque nuit, je m'en rappelle maintenant, mon esprit allait s'apitoyer sur la dépouille de mon père qu'on avait jadis crucifié là, avec comme tout vêtement, une simple cravate autour du cou, et pendue à l'une des extrémités de sa croix, une pancarte qui voulait le tourner en dérision, et sur laquelle était inscrite cette simple phrase: CELUI-CI ÉTAIT LE ROY DU QUÉBEC.

Des fils d'électricité ou de téléphone, des fils de toutes sortes, se balançaient dangereusement ici et là, car cette scène onirique avait toujours lieu par nuit de grande tempête et de blanche rafale.

Que puis-je en retirer, de toutes ces souvenances qui arrivent ainsi sur le tard dans le feu de mon existence?

Est-ce à dire que ce vieil original de docteur Schnock avait tout à fait raison de m'inviter à aller plus loin que la simple apparence, et de partir à la recherche de mes origines, une bonne fois pour toutes?

D'autant plus que j'entends de plus en plus fréquemment une voix féminine sur laquelle je ne peux guère me faire d'équivoque, et qui me répète, comme une litanie dont on ne se lasse pas: «Jamais auras-tu été aussi bien qu'en mon ventre.»

Mais, je me demande si c'est réellement de ma personne dont il s'agit ici, ou bien, deuxième mais de plus en plus impérative possibilité, si je ne me suis tout simplement pas trompé d'identité, quelque part au vestiaire, en pure distraction, et endossé un personnage tout ce qui m'est de plus étranger, ce qui expliquerait cette confusion qui se trahit sous des dehors de vêtements rendus étriqués par ma protubérance dorsale.

Se peut-il que je n'aie jamais habité les dessous de l'Église Notre-Dame, ni, par ailleurs, été postillon en grève, que ma bosse ait été le fruit d'une imagination voyageuse, pack-sac au dos?

Mais qui alors? Qui peut bien tenir les ficelles de mon être?

Qui puis-je bien être?

Un personnage en quête d'un quai où s'amarrer? Ou un homme en trop, au dur village aride et argileux?

J'arrive au bout de mon fil, m'y suspends quelques instances, puis, à la grâce de Dieu, cette Balançoire sur laquelle les anges doivent parfois nous envier, nous les hommes, je me laisse tomber dans le vide.

VINGT ET UNIÈME VISION DU MYTHE

Filature

L e rideau s'abaissant lugubrement sur les derniers restes d'une époque, je prends date, et sur la mémoire historique des sens, j'inscris, à tout hasard, qu'en un temps déjà lointain, je me jetais, gourmé à tous les vents, sans panique et sans cérémonie, dans la houle du temps, et que des aiguilles de montres s'installèrent sur le couperet de mes heures.

Un jour, l'horizon, ce prisonnier de l'éphémère, comme nous tous d'ailleurs, me prit à part, et m'indiqua, ô paradoxe, le pouvoir de submerger des profondeurs du verbe, auxquelles je me condamnais, malgré moi, à moisir, sevré de toute éternité.

En ce temps-là, je me prenais pour un chat, faute de pouvoir me prendre pour un homme.

Mais on se lasse de tout, même d'être un chat, la vie est si courte dans toute sa plénitude grandeur, et je ne savais plus, en toute franchise, comment sortir de ces deux trous par lesquels se contrefaisait mon image en dorure.

Je devins sourd.

Quelle étrange et pioupiesque épopée, ainsi que je l'appris par la suite.

Un public, savant et très peu débonnaire, l'envers même de ma médaille, et dont la présence m'importunait, m'invita à brûler la chandelle par les deux bouts, histoire de faire fondre ma vie, quelle cruauté.

Il faut dire que le langage m'atteignait au point de m'enlever toute raison d'être dedans ma chair écoulée, au lieu de servir d'oriflamme au muguet d'argile que j'eusse aimé offrir à la prunelle de mes yeux.

J'en devins aveugle, tout stupidement.

Rien d'étonnant, prétendront certains loustics, qui auront mille raisons d'avoir raison, comme de raison.

Ainsi qu'un mauvais tour que m'auraient joué les dieux en voulant me rendre coupable du Jugement dernier.

Or, mon passé, je l'avais là où vous pensez, derrière moi, et me sentais paré à continuer sans devoir m'y mirer à tout bout de rues, en une procession de condamnations quasi liturgiques.

À chacun son temps héliaque, pardi, et trêve de jalouserie.

Là-bas, de l'autre côté du miroir, Oedipe n'en finissait plus de mourir, souffrant ses mille martyres dus aux recueillements des croyants, ces malfaiteurs qui confondent leurs dieux avec les chiens, la plupart du temps que dure leur prière, en mémoire du péché d'origine.

Et moi, l'autre été, à l'ouïe jadis plus fine que bruissement de pétale de rose dans le cervelet d'un bébé de baleine, il me fallait retrouver le chemin perdu, celui de mes songes en proie au varech, expiant les fautes aux fils de quelques-unes de mes plumes égarées, douloureux passager de mes devenirs anciens.

Je n'avais plus guère le choix.

Un homme, un seul, vint à ma rescousse, une sorte de pèlerin, bêlant sur les grands boulevards du crime, s'en revenant d'un peu partout, hâlant sa misère à s'en rompre l'échine, un original, comme on dirait.

«L'horloge tient le langage du cœur, commença-t-il sans brusquerie, et ce qui cause le grand malheur de l'homme, c'est qu'il a maille à partir avec le temps.»

Il devrait le laisser bien au chaud, lové parmi ses couvertures séculaires, mais il tente de le rougir au fer à repasser, ô libertad, alors le temps, il n'est pas fou, prend peur et veut sacrer son camp tandis que les hommes ont tout le mal du monde à le convaincre de revenir au bercail où d'ailleurs le poison l'attend dans un aquarium de réflexes conditionnés par l'inaction.

Autre magnétisme, de quoi aurait-il l'air, l'homme sans temps?

D'un espèce de fou, pire, d'un abruti, d'un sans dessus-dessous, de répondre le conteur, après avoir tiré une pipe, sous les bruits en craquelure de la maisonnée.

Nous ne pûmes qu'acquiescer, tous autant que nous étions, et je jetai un coup d'œil autour de moi.

Il n'y avait que ma trompette et quelques autres menus objets. Je puis donc écrire que j'étais seul. (Bien sûr, des lames de rasoir pendaient du plafond, et après?)

Qu'avais-je donc eu à me nounoyer de la sorte? Me prenais-je pour le roi?

Et bien oui, je me prenais pour le souverain, prisonnier de ces rêves en mal d'amertume et de ces blanches pages dont la virginité me dévisage sans cesse dans l'embobinement d'une enclave romanesque.

VINGT-DEUXIÈME VISION DU MYTHE
Sans titre

Et je fus souventes fois pris de vertige, ce devant quoi le vieux docteur Schnock n'aurait pas manqué de diagnostiquer: «causé par une humeur en forme de courant d'air.»

J'avais un souffle à l'âme.

Le mal, sans gêne aucune, s'enhardissait à m'habiter telle une prison échafaudée sur des barreaux qui auraient été forgés dans une région aussi lointaine que ma petite enfance.

«Chameau», entendais-je s'infiltrer à tout bout de champ et en catimini dans le cours amer et salin de mes pensées.

«Tu n'as pas le droit», «maudit écœurant», cela continuait-il, comme autant de chimères dressant le front sur mon passage, afin de m'interdire l'accès aux galeries du verbe intérieur.

«Tu vas rendre ton père cocu, si ça continue», me lançait-on en dernier anathème, ignorant le fait que mon bienheureux paternel avait rendu l'âme et tout ce qui s'en suit, quelques jours avant ma naissance.

C'était subtil et ça n'avait l'air de rien, la plupart du temps: mais il ne fallait pas creuser trop loin, sinon cela créait de sérieux remous où les fadaises de la conscience déraisonnaient sur le problème quasi insoluble de l'utilisation de la boule à mites dans de la poudre à canon.

Ainsi, nous menaça-t-on, moi comme bien d'autres, de nous faire brûler sur un bûcher, à Rouyn ou ailleurs, les bourreaux, burinés à l'effigie de sa gracieuse majesté, la reine d'Angleterre, n'étant guère regardants sur l'endroit choisi pour le supplice; ce qui les aurait réjoui, cependant, ces barbares, pendant que des petits Jean Chrétien nous demandaient d'oublier le passé, c'eût été de renifler l'odeur de roussi qui se serait dégagée de nos carcasses infortunées.

Mais je me précède, encore une fois, incorrigible Nicodème, sur le chemin labouré d'épines de ma réalisation œdipienne.

«Parlez le langage de la bissness, poursuivaient nos voix étrangères, même si cela équivaut pour vous autres à celui de l'étranglement, du génocide ou de la faillite. Gardez les yeux baissés sur les trottoirs», et ils humaient leurs énormes cigares, l'arme aux coins des paupières, des signes de piastre voltigeant au gré de nos faiblesses, sous la hantise de la stridence des trompettes dernières, et alors, nous admonestait-on, on nous couperait les organes, rien que ça, tous les organes, ceux qui sortiraient de l'ordinaire tout comme ceux qui ne feraient, de toute façon, jamais l'affaire.

À faire pousser des cris de terreur aux jeunes scarabées d'or accrochés après les scalps des arborigènes criards, s'en revenant des époques originaires.

C'était à une époque où j'ignorais encore qu'Oedipe était roi, et qu'il s'en venait à ma rescousse, afin de me procurer, tout aveugle qu'il fût, un peu de lumière amalgamée à du silence, ce dernier coulant des papilles de l'antique folie qui salivait sur de l'or en écholalie, écholalon, écholalage.

Pendant ce temps-là, qu'est-ce que ça vient faire dans ce texte? De nombreux ecclésiastiques avaient levé la robe (en dessous de laquelle je vois, pour le moment, un enfant danser la gigue) ou fait sauter les boutons de l'habit (ceux de l'adolescence, sans doute), et cela eut pour conséquence d'amener un plus grand nombre d'adultes à se servir de leurs bas-ventres à d'autres fins que purement physiologiques; cependant, qu'est-ce que ça vient faire dans ce texte? Les moyens de contraception endiguant, le flot des banalités naissaient ou le flot des natalités baissaient, comme vous voulez, dangereusement, aux yeux de certains, tandis que d'autres s'en sacraient tout aussi éperdument que de l'usure de leurs premiers bermudas.

Par ailleurs, la tangente démontrait de plus en plus tragiquement et hors de tout doute, que chez moi, ainsi que chez bien d'autres, la culpabilité entretenait la secrète volonté de s'approprier la totalité du gâteau au miel de l'existence, se croyant tout permis, la douloureuse mégère, tout en enrobant la pilule d'arsenic et en intriguant à chaque fois plus insidieusement afin d'accoutumer notre liberté à trouver normal de recevoir forces insultes, dans le but de nous faire aboutir sur les sommets du mont Chauve, là où des eunuques au système rapace mènent la vie dure aux hommes libres, allant jusqu'à leur faire croire, selon la légende, qu'ils seront court-circuités ou castrés de la fébrilité de leurs imaginaires, ce qui revient au même.

À propos, lourdeur au cœur, j'ai lu que le marquis de Sade aurait été perçu, par une universitaire de Grande-Bretagne, comme l'un des pères du féminisme; pourquoi pas Graham Bell, un célèbre ventriloque, à ce rythme-là, et Adolphe Hitler, un marchand de Venise?

À l'horizon, les vacances de Pâques montraient le bout de leurs jours, tandis que mon lieu dit du crâne se sentait en bien étrange compagnie.

Depuis combien de temps n'avais-je pas vraiment

pris le temps de vivre, toujours sur une jambe puis sur l'autre, à mi-chemin entre l'exil et l'extase, ô dis Oedipe, sommes-nous encore bien loin de Colone?

Antigone, sur sa paillasse de l'hôpital Sainte-Hélène, car elle était tombée malade, la pauvre chouette, et je la soignais de mon mieux, Antigone, écris-je, craignait de se faire stigmatiser, comme le diable, à ce qu'il paraît, a peur de l'eau bénite: le monde à l'envers, prétendraient certains groupes de loustics.

En ce temps-là l'irrésolution se colletaillait à l'affirmation de mon être, en une lutte, toute microscopique qu'elle ait été, à proprement titanesque.

Au sortir du cinéma Parallèle, par exemple, peu de temps avant qu'Antigone ne soit hospitalisée, un désir s'empara de mes mouvements, désir de sacrer mon camp, bien sûr, mais aussi de sacrer une royale fessée à H. de Heutz, le principal personnage du film auquel je venais d'assister.

La révolte bouillait au fond de mon soufflet linéaire, et je me rongeais les sangs, de honte pour les hommes de mon sexe; comprenez-ça, la compagne de H. de Heutz lui avait à peu près dit ceci: «Écoute, mon pitou, aujourd'hui, j'ai de la correction à terminer, aussi, serais-tu assez fin pour attendre à demain avant de te suicider?»

Et le pauvre de Heutz, en bon petit garçon, bien qu'ayant près de cinquante ans, d'acquiescer et de répondre: «Très bien, si cela te convient mieux, je vais attendre à demain avant de me tirer une balle dans la tête.»

Quelle affligeante, désolante et inquiétante dépendance, à l'image d'un pays auquel H. de Heutz avait sans doute rêvé de réfléchir le déchirement, lui qui s'était, pour la première fois, fait arrêter au pied de la basilique Saint-Joseph.

Tout en dirigeant mes pas vers le boulevard de

l'Éternel Retour, là où j'avais fini par aborder, depuis que
le Bossu s'était de lui-même pendu haut et court, je me
rendais compte que derrière mon ancien personnage, ce
Bossu précédemment évoqué, s'était déguisé un ancien
frère des écoles chrétiennes, pour lequel Antigone avait
été la personnification d'un gentil adolescent, peut-être
moi, mon moi d'antan, et je me souvins tout à coup, mais
très très vaguement, à une certaine odeur qui régnait
dans l'air, que j'avais laissé deux individus en plan dans
un appartement de Cartierville, Edward et sa Jocaste de
maman, et qu'il me faudrait bien aller les y retrouver,
puisque ma destinée frappe mordicus sur la tête de
gorgone qui me sert de gond, pour que je m'y emmène le
plus tôt possible.

D'autre part, j'avais été pris en filature par l'ange noir
de H. de Heutz, lui-même porteur d'une maladie dont il
avait mandat de me refiler le microbe, maladie connue
sous le nom de «syndrome de l'éreintement».[1]

J'ignorais cependant que la plus que belle Élise
Beaubassin, rencontrée antérieurement sous les pseudo-
nymes d'Émilie et d'Irma la douce, suivait H. de Heutz
dans le but de l'empêcher de parvenir à ses fins; à peine
me souvenais-je d'avoir quelque peu imaginé des récits
au bout desquels je me devais, contre vents et marées,
mener un certain Oedipe Roy, à Colone, pour qu'il y
rende son dernier souffle.

De plus, je n'avais plus quarante-huit ans. Vertudieu,
j'en avais maintenant à peine trente-deux, et finie la
rigolade, il fallait que ça arrête au plus tôt, cette dégringo-
lade aux firmaments désentoilés des âges, sinon il risquerait de se faire trop tard — mais n'est-il pas toujours trop

---

(1) Jacques Ferron, *Escarmouche*, Éditions Leméac, Montréal 1976,
     page 51.

tard? — pour tirer mes marrons du feu, ce qui aurait pour navrant résultat de me métamorphoser en âne, et pas n'importe lequel, celui de Buridan, rachitiquement parlant.

À cette époque, hi-han hi-han, je manquais gravement de sincérité, et l'hésitation m'était devenue une seconde nature, l'altermoiement m'allait comme un gant de six doigts trois pouces et demi, comme un fer à cheval posé au derrière du malheur, malheur.

Là où j'avais élu domicile, boulevard de l'Éternel Retour, dans un immense bâtiment entouré d'un boisé profond, ressemblant parfois à un château-fort du moyen âge, mais plus souvent qu'autrement à une gigantesque baraque tout en délabrement, plusieurs pièces m'étaient restées ouvertes sans que j'aie encore osé y pénétrer, de peur d'y rencontrer l'ombre de mon père, lequel j'imaginais dur comme fer avoir assassiné par une nuit de désordre ancien, pour le simple plaisir de l'avoir un peu connu, le depuis trop longtemps disparu.

La plus épeurante (pour moi) de ces pièces possédait une très large porte de pierre, toujours entrebâillée.

Ce soir-là, après avoir visionné le film sur H. de Heutz, je pris parti, envers et contre tout, de franchir cette maudite porte, arrivé chez moi, au risque de ne plus jamais me ressembler, de partir en guerre contre les Borgia, de me faire enfermer à Sainte-Hélène, n'importe quoi, même de me suicider sur les parterres du collège Villa-Maria, situé dans le quartier de Notre-Dame-de-Grâce, à Villemarie-en-l'Isle, comme devait primitivement s'appeler Montréal.

VINGT-TROISIÈME VISION DU MYTHE
Point d'orgue

L'image achève le mot.
Marguerite Duras

On me croyait mort, amère déception pour certains, puisque me voilà, fragile roseau se penchant sur l'abominable misère des jours.

Ô frustrations, que de complexes nœuds ne m'aurez-vous pas fait connaître, et que de bêtises n'aurai-je point commises en votre nom, depuis que l'enfer s'engouffre dans la division de l'être.

Mais comment parvenir à vous exclure, ô frustration, lorsque vous devenez aussi éreintantes que de la lave qui bouille à la surface du cerveau volcanique, et que vous revendiquez la tâche d'être plus indispensable que le premier respir de l'homme?

Antigone est revenue, à moitié folle, je crois, et moi, eh bien, je veux bien ressusciter, pour une fois.

Elle me dit, Antigone: «Je crains d'ennuyer le lecteur, s'il en est, par la multiplication des plaintes que comportera ce récit, et c'est la raison pour laquelle il me semble qu'une explication se doit de traverser les voiles derrière lesquels claquent le fruit de nos exorcismes expiatoires.»

Je ne fais guère cas de cela, la trouve un peu trop babillarde pour penser qu'il s'agit bien d'elle, et médite sur mon sort.

Être un porteur de protubérance dans le dos, sans pour cela appartenir à la famille des dromadaires, voilà sans doute une triste destinée, mais rien n'empêche qu'il y a mille fois pis, vache à part, et qu'il n'est pas facile de faire le bouffon en de certaines occasions.

Par exemple, dans les chambres de cet hôpital qui porte le nom de «Sainte-Hélène», spécialisé dans les soins octroyés aux enfants, et à l'ombre duquel se forme la trame de ce texte qui aboutit sur le boulevard de l'Éternel Retour, il s'y souffre le résultat de certaines injustices auxquelles le plus saint d'entre les saints, ce qui n'est fort vraisemblablement pas mon cas, risquerait de perdre pied sur sa foi, s'il venait à s'y attarder un peu trop — mais j'en ai déjà trop dit.

Revêtons donc nos frusques de bossu et rejoignons cet imaginaire batiscaphe qui se situe dans les sous-bassements de l'Église Notre-Dame, là où, pour l'instant, la vraie Antigone et son diable de père s'apprêtent à me quitter, séance tenante, ainsi qu'en un complexe, métaphorique et parallèle pléonasme, laquelle expression fait péribole tout autour de mes mots pris en farandoles.

Moi, je ronge mon frein, ô mors, car je ne suis absolument pas d'accord avec ce départ, me sens en conflit très bien près d'être armé, en pleine crise d'octobre intérieure, quoique l'on soit en août.

Il est onze heures moins le quart, et je n'y peux rien, si ce n'est de consentir à la nuit, et de ressentir le froid que cause le glas qui me fait trembler de tous mes membres, suis aussi incapable d'enrayer la marche temporelle que de les empêcher de remplir leurs balluchons.

Et cela ne fait que m'enrager, au plus haut degré, in extrémis encore une fois.

Les cloches carillonnent à toute volée, dans le clocher qui s'étiole et je me sens prêt à tout, suis en complète rupture avec tout le reste du monde, je n'entends pas les laisser faire à leur guise, la Antigone et son sacré paternel.

Minute papillon (l'horloge ne s'est pas encore arrêtée, grand-père).

Il me prend même l'envie de le tuer, l'auteur des

jours de ma bien-aimée, de faire substitution, et qu'il se
ramasse dans la peau d'un quelconque et autre personnage, sans rapport immédiat avec notre acte propitiatoire,
puis de mener comme il me plaira la charge de ce récit
gonflé à bloc et dont il représente le chambranle, de
rendre sa brèche cataleptique, au plus haut point du
bavardage, cette énervante plaie dont nous font souffrir
tant d'imbéciles avaleurs de taches de léopard.

Aussi bien se rendre à l'ennemi, ou vouloir, toute
proportion gardée, occire Dieu le père, à moins que ce ne
soit déjà fait, me dis-je.

J'enrage, je bave d'enragement; tel un escargot qui
surveille le moment de sortir de sa coquille, je me
lancerais dans les mûres, ainsi que les anachorètes font,
pour s'enlever le goût du brasier de la chair, et je ne sais
plus où leur donner de ma tête.

La Grèce, au loin, fait entendre le claquement de
talons des colonels, et je perds patience, menace de
perdre toute contenance, si Oedipe persévère à vouloir
me séparer d'Antigone, ou de mon Émilie tout en chair et
en esprit, de mon Irma la douce de tout partout, puis de
divulguer les secrets de sa vie la plus intime, d'inventorier
les souillures et les maladresses, de le traiter de mauvais
coucheur, insulte suprême, de me dissimuler dans ses
carences d'hier et de demain, jour après jour, pleur après
pleur, d'écrire que son goût pour les jeux et les sapiences
de mots faciles et de calembours pris à la légère, lui jouera
un jour de mauvais tours, à ce mauvais charmeur de
phrases, que le verbe peut le piquer, mortellement, qu'il y
en a marre à la fin de ces bruits de tambour métallique
qui n'aboutissent qu'à toutes ces stupides et navrantes
ergoteries.

Mais de qui s'agit-il? Sur qui écris-je ainsi, en toute
félonie?

N'y a-t-il pas ici supercherie? Tours de passe-passe,

qui touchent à l'infini des ressemblances? Malentendu et erreur sur la personne?

Mais aux dépens de qui?

Voilà deux heures que j'ai pris connaissance que mes invités voulaient s'en aller et voilà deux heures que je me pompe, il faut que ça éclate, comme un bâton de baseball sur la figure d'un mort, je n'en peux plus de tout garder en dedans, ainsi qu'une maladie qui gâte le cours du jour fidèle.

Que les vulcanologues se méfient, qu'on fasse déserter villages, villes, faubourgs, j'explose de toutes mes forces, quitte à détruire toutes les souris sur mon passage; j'ai été en état de perdition pendant trop longtemps pour accepter sans nulle doléance de débalancer l'équilibre incarné par la première forme qui de toute ma vie m'ait aimé ou tout au moins marqué une tendresse pour laquelle je n'ai pas eu à débourser l'ombre d'un quelconque écu, d'une quelconque sapèque.

Je commettrais l'irréparable, plutôt que de vivre l'immolation que symboliserait l'abandon d'une pareille amoureuse.

J'ouvre donc mon armoire secrète où se cache une arme ayant appartenu au grand-père de mon grand-père, mort à Saint-Charles-sur-le-Richelieu en 1838, et je menace Antigone de tuer son bon dieu de père, qu'elle se le tienne pour dit.

J'ai assez ri de moi comme ça.

La fille d'Oedipe me regarda hagarde, hébétée, et me dit: «Ne gâche pas notre mémoire, nous nous reverrons dès que mon père sera rendu au bout de sa destinée, prends-en ma parole.»

— Comment peux-tu espérer que je sois satisfait de ta promesse, il peut t'arriver n'importe quoi, être amadouée par un Français, enlevée par un Mohawk, violée par un Anglais, que sais-je? — je ne peux plus vivre sans toi — lui

avouai-je enfin pour la première fois, pendant que dans
un coin de ma cervelle, l'hydre de la quétainerie suivait
mes propos tout prêt à s'esclaffer ou à murmurer quelques railleries.

Un chien jappa, Dieu sait où, et prenant peur de la
situation, lamentable, je laissai tomber mon mousquet,
tout en leur emboîtant le pas dans ces couloirs dédaléens
qui mènent vers l'air libre, et en me demandant d'où
avaient bien pu venir les jappements de cabot qu'il
m'avait semblé avoir entendus.

Et c'est alors que le miracle s'est produit et que
j'entendis comme marmonné du fond des âges, très
gutturalement: «Suis-nous donc, si tu l'aimes tant.»

Ça alors, il pouvait donc articuler quelques paroles,
ce diable d'homme? Je quittai donc tout ce que je
possédais et obéis à Oedipe Roy.

Au-dehors, la lune se couvrait le visage ou détachait
un œil timoré de ses nuages, tandis qu'un ange noir,
d'après ce que j'ai pu voir, nous pria de monter dans un
fiacre tout cabossé et à l'allure significativement fantoma
tique; les chevaux piaffaient sur les pavés de la rue et
hennissaient de toutes leurs dents, tandis que les guides
étaient tenus par une tierce personne que je découvris
peu à peu comme n'étant autre que moi-même, ô
effarante et à peine croyable transfiguration de mon rôle
de subalterne.

Où allions-nous? Les quatre bêtes, noires comme
suie, s'emballaient et semblaient seules à le savoir; je
n'avais qu'à réfréner quelque peu leur ardeur, alors que
les rues de la métropole trahissaient un abandon des plus
énigmatiques.

Enfin, après avoir chevauché plusieurs lieues à un
train d'enfer, l'allure commença à se ralentir, et nous
arrivâmes dans un faubourg dont je n'ai eu que le temps
d'apercevoir le toponyme; il s'agissait du faubourg de

Saint-Maurice, et la neige poudreuse, malgré le printemps, ressemblait à de l'or aperçu au fond du miroir d'un poudrier qui reflétait les visages des belles dames d'un temps jadis.

Après quoi, notre équipage s'arrêta devant une auberge nommée, d'après ce queje pus voir: *Au Chercheur d'Or.*

«Le mot de passe!», nous demanda une voix sortie d'outre-tombe.

C'est Antigone qui répondit: «Il y a dans la vie des êtres qui sont nos parents, non par le sang mais par le cœur.»

D'étranges gnomes nous convièrent à descendre de notre carosse et à pénétrer dans ladite auberge où je n'eus que la force de m'effondrer car je mourais de sommeil.

Dans les lointaines profondeurs de cet état onirique et en quelque sorte latent, des cordes ou de très grosses ficelles m'apparurent qui pendaient du ciel et auxquelles une multitude de répliques de nos trois personnes, à Antigone, Oedipe et moi, tentaient avec acharnement, par la seule force de nos poignets, de grimper, pour finalement aboutir devant un immense portail métallique.

Antigone sortit une énorme clef de l'escarcelle qu'elle portait à sa ceinture, et elle déverrouilla la serrure par laquelle aurait pu se faufiler un chat, et nous avons prudemment pénétré dans l'enceinte sacrée qui nous cacha aux mortels.

Je me réveillai.

Je venais d'assister à la mort de Sophocle, et je m'en souvenais, mais tant pis, le jour se levait, gris et sale, et l'on cognait déjà à la porte de ma chambre afin de me sortir du lit.

Je descendis dans la salle à manger et m'attablai devant un bol de gruau fumant tandis que mes deux compagnons de voyage s'entretenaient d'une dénommée Marie Chapdelaine et de son amoureux de François, des deux quels individus je n'avais même jamais entendu parler ni d'Ève ni d'Adam.

Ne voulant point être indiscret, je me désintéressai de leur conversation, et m'emparant de mon rêve qui ne voulait plus lâcher prise à mon âme ou à ma conscience, je ne sais trop, les mêlant toutes les deux, je lui (mon rêve) tranchai le cou aussi sec ainsi que l'on fait du cou d'une orfraie.

VINGT-QUATRIÈME VISION DU MYTHE

Épilogue

> Ô dieux, puisqu'il s'agit de la mort, faites-moi la grâce de
> ne pas être pris pour un autre.
>
> Molière,
> *Don Juan*

Hantigone, pleine de hasch, mourait, ainsi qu'Iphigénie fit. Le vent, semblable à lui-même, tournait avec un air de surabondance et de ne plus jamais revenir, sur le quai de la gare des habitudes; des rafales saupoudraient l'infini du ciel sur la ville aux mille clochers champêtres et m'en revenant de l'hôpital dit de l'Hôtel-Dieu, comme d'autres s'en reviennent de Rigaud, sur le dos, sur le ventre, une piasse et quarante, pourvu que ça rentre, je me mis en marche vers mon logis, boulevard de l'Éternel Retour, bien conscient que seule l'inexistence de Dieu s'exhalait de mon front, et sachant que cela pouvait me mener finir mes jours droit à l'asile Victor-Hugo. À chacun sa destinée, et les ouailles de monsieur Séguin seront mâles gardées, me soulignai-je, en ressentant un début de mal de gorge.

L'île Sainte-Hélène se détachait de mon continent intérieur. Tout bonnement.

De vieux lions en pierre, accrochés à des serres, accroupis sur leurs piédestals, s'entretenaient de singes et de moutons, tout en devisant, à travers mon regard désabusé, de la vraisemblable inutilité d'avoir élevé un monument à la mémoire de Sir Georges-Étienne Cartier, rue du Parc, au bas de la Croix du Mont-Royal.

J'aurais tant voulu immobiliser les battements de mon cœur.

La mort d'Oedipe n'était plus très loin, fatidiquement,

un suicide peut-être, paraîtrait-il, et qui me suivrait, avec ses fringues arrimées à des clochettes de moins en moins sonores, de plus en plus lointaines, et des figurines qui coupent des lames de rasoir en neuf, tout en apprivoisant les affamés qui rêvent d'avaler les ombres du passé, dans le ventre de ma descendance.

Atchoum, mes souhaits avaient déjà attrapé la grippe.

C'était la vie, ni plus ni moins, atchoum, et mes souhaits, qui recommençaient sur le quai de la gare ambulante, sur celui des habitudes, à suivre leurs cours toujours de plus en plus compliqués.

Des rêves, toujours et rien que des rêves, une vraie maladie, tombaient à pleins ventres, comme des mouches, sur des sirènes ourdissant de tragiques excuses en vain, non loin du ciel en révolte éphémère, ainsi que des hélices entaillées dans de la chair de poisson mort.

Ce que j'ai pu être gauche, pensai-je une fois de plus. Hantigone mourut, le jour du Vendredi saint, jour de mon anniversaire de naissance, c'eût pu être un autre, celui de la Saint-Valentin, par exemple; ou le dimanche de la Quasimodo, que pus-je y faire, je n'invente tout de même pas.

La fille d'Oedipe.

Que pus-je y faire sinon de baisser la tête.

N'était-ce pas mon écriture qui refusait de subsister ou de se substituer plus longtemps à tous ces manquements que je ne pouvais guère ne pas faire miens; à cet individu qui me ressemble comme un pair et qui n'a jamais pu se faire à l'évidence de devenir un écrivain?

J'avoue, il eût fallu que je cesse de tergiverser, c'est là la cause de son décès; que je continue à ne pas désespérer, et rebrancher quotidiennement le fil métallique dont je tenais si tant mal que bien la responsabilité de l'une des deux tiges.

Pauvre petite brumeuse, cela me semblait tellement cruel de laisser à l'art médical, le seul soin de ta vie.

Coupez.

Les éclairs striaient le ciel malgré la pluie battante qui nous aveuglait, et «euthanasie, euthanasie», quel drôle de mot sonnant comme un grelot solitaire sur le fleuve de la mémoire, eus-je la simple et stupide capacité de répéter, ce soir-là, en dirigeant ma destinée comme n'importe qui, presque comme n'importe quoi.

L'écriture est une artère de vieillard, rajoutai-je, tout en surveillant l'étendue de mon regard parcouru, et qui me vit sortir, drôle de vision, par la porte du *Chercheur de Trésors,* quêtant cette main qui ne voulait pas tomber, enracinée dans le réel cœur d'Oedipe.

La ville, toujours aussi muette, se laissait transpercer par quelques layons d'argent, sous le trot tonitruant des sabots qui nous entraînaient à toute vitesse vers Dieu sait où.

Je devais moi-même mourir bientôt, à quoi bon le cacher plus longtemps, et l'argent poussait par les fenêtres tandis que la gangrène me guettait, sous la précision organisée des dés qui n'ont jamais pu abolir les frontières jetées dans la bouche du hasard le plus endormi. Un an avait déjà passé au travers des âges, afin de boucler son paysage.

C'était la veille de mon anniversaire de naissance, lequel était tombé le jour du Vendredi saint, l'année précédente, mais le dimanche après Pâques, cette année-ci, le dimanche de la Quasimodo, comme ils appellent cela, du même nom que le Bossu qui hante le parvis de Notre-Dame, tout là-bas, à Paris beau port de mer, dans un roman de monsieur Victor Hugo.

La Reine était enceinte de neuf mois, et son ami, Dagobert, le gardeur de dindons, avait mis sa bosse à l'envers, ce qui n'est pas si simple, me glissai-je en aparté.

Jocaste, quant à elle, ne nous ferait plus jamais passer les rives du Pausilippe, pas plus le Pausilippe que le fleuve Saint-Laurent, la rue Saint-Denis ou la mer d'Italie, asphyxiée qu'elle est par le gaz en compagnie du chardonneret qu'Oedipe lui avait offert pour son anniversaire, dans le petit appartement de Cartierville où nous les avons laissés, il y a quelques mois.

Il ne neigeait plus, pleuvait à pleins torrents, et j'avais désespérément l'envie de mourir, mais non plus de par ma propre volonté, comme j'avais voulu faire, en mon adolescence.

«Vite», criai-je à l'ambulancier de service. Mais il n'était pas pressé, et ses chevaux, syndiqués.

«Attends, attends, m'entendis-je supplier Jocaste, dans mon inquiétante immensité intérieure, je t'inventerai une autre destinée, une nouvelle planète, s'il le faut, te soutirerai à Laïos, à tes parents, à Oedipe même, aux moutons dont tu avais la garde; l'ennui, ton pire ennemi, sera banni de ton existence, tu n'auras plus à te soucier de l'éternité, elle te sera certifiée, je t'aimerai, Jocaste, même si je sais que tu ne me croiras jamais, que tu n'es pas faite pour croire en moi.»

Voilà trois ans qu'elle était devenue son amante, trois ans qu'elle avait reconnu, sur ses pieds à lui, les trous laissés par les anciennes blessures, la nuit où Laïos l'avait fait disparaître.

Et puis, ils se ressemblaient tellement, ces deux-là, Jocaste et Oedipe, ou Oedipe et Laios, qu'il eût fallu être aveugle ou avoir de sérieuses dispositions à le devenir, pour ne pas un jour s'en apercevoir.

Elle ne l'en avait que plus aimé, de posséder cette innocence, et ne lui avait pas encore divulgué la terrible vérité, jusqu'au soir où, croyant revoir Laïos, il était arrivé tout fin saoul, l'inconscient, lui annoncer qu'il se mariait, le lendemain, avec une bonne petite fille de Westmount, une anglaise sans doute, et que cela était excellent pour ses affaires, à lui.

Elle lui avoua alors qu'en plus d'avoir été sa maîtresse, elle était sa mère.

L'incrédulité se dessina sur les traits d'Oedipe qui finit par se tordre de rire par terre, et à s'endormir.

Au petit matin, il s'en alla, ne se souvenant même pas de ce que Jocaste lui avait dit, mais prenant tout au moins le temps de la baiser pour une dernière fois.

Lui parti, elle alluma le gaz.

Et ce fut alors que je perdis pied à mon tour, sous l'implacable inexistence d'Étéocle, Polynice et Ismène; seule Antigone avait tout juste eu le temps de naître, et encore. Mais nevermagne, la vie ne s'arrête pas là, le show must go on; ce qui est courbé ne peut se redresser et le déficit ne peut revenir en conte, ainsi que nous l'apprend à peu près une phrase de l'Ecclésiaste.

Je m'étais placé dans une situation très inconfortable, voire ridicule, trop distante, mais une femme avait besoin de moi, au cœur de l'infini des ressemblances d'où tous les hommes sont issus. Je montai donc les marches à quatre à quatre et ouvris enfin la porte de cet appartement de Cartierville.

Jocaste gisait, étendue et nue, morte, du sperme dégoulinant encore d'entre ses cuisses, tandis que du fils unique, il n'y avait nulle trace, hors des boutons de manchette, dont l'absence lui crèvera un jour les yeux, et peut-être l'écho, à l'autre bout de la ville, de la sinistre noce qui unissait légitimement un certain Edward King Jr à une quelconque Elizabeth qui se prénommait, elle aussi, comme sa mère.

Le Coquecigrue

> Saisir l'infime, c'est avoir en soi la clarté.
> Lao-Tseu

Le jour où j'embarquai sur le Coquecigrue pour la première fois, je craignis fort d'en perdre mon identité.

En effet, à cause de son seul maître à son bord, après lui-même, le capitaine Oedipe Roy, un aveugle, ce navire avait la très mauvaise réputation de devenir, à un moment ou l'autre de la traversée, ingouvernable. Selon les racontars qui se faisaient dans les tavernes du port, ce capitaine avait perdu la vue dans des circonstances bizarres et non étrangères au fait que la lycanthropie pouvait assaillir son équipage.

Mais je n'avais guère le choix, pas plus que d'avoir des oreilles, un nez ou un foie, je devais gagner ma vie, sans même avoir eu souvenance de l'avoir perdue; peut-être aurais-je pu m'engager sur un autre paquebot, mais avec des peut-être, comme l'affirme le populaire dicton, «on met Montréal dans la chenevière aux chimères».

Et le capitaine Roy, ô l'infâme, payait un salaire trois fois plus élevé que celui qu'un matelot ordinaire pouvait espérer recevoir sur une autre embarcation.

De plus, c'était le cœur du problème, ou de l'artichaut, j'aimais Loulou comme un sapré fou, aurais donné un million de plats de lentille pour avoir droit à sa présence à mes côtés, le temps que dure un pétale de lys.

Or, cette dernière avait perdu ses parents; son tuteur, le redoutable cardinal Tartuffe Raillaine, l'homme qui se macérait le plus dans tout le royaume, avait décrété, sans doute en retour de ses souffrances, car rien n'est gratuit en cette sorte d'esprit, que sa pupille ne saurait recevoir l'accouplement qu'auprès d'un homme qui irait quérir, à bord du vaisseau de son beau-frère, le capitaine Oedipe Roy précédemment évoqué, la main de Dieu, qui gît au fond des océans, tout là-bas, au centre du triangle des Bermudes, where it is, d'après ce qu'on dit, better than here. Telle fut sa volonté, au cruel Tartuffe Raillaine, et telle voulus-je l'exécuter, malgré les avertissements de mes parents et amis; j'aimais, pauvre innocent, et n'entrevoyais point, pour parvenir à l'être aimé, d'autre solution que d'obtempérer à l'exigence de cet affreux zigoto.

Une pluie sans force, semblable à mon courage et anticipant peut-être le fond des langueurs océanes, tombait parcimonieusement sur la cité, lorsque je mis le pied sur la passerelle qui menait au bateau maudit.

J'entendais en moi, car j'ai le don de l'ubiquité spirituelle, la rêche et monocorde voix du cardinal Raillaine qui psalmodiait, comme un «Je vous salue Marie pleine de grâces» de mon enfance: «Une pluie pieuse et toute empreinte de cérémonie, semblable à ma foi, mon espérance et ma charité, tombait avec grande parcimonie sur le cuir chevelu des passants, augurant ainsi la latente tristesse des purgatoires terrestres.»

Je devenais dorénavant un autre, pareil au caméléon qui se trouve changé en histrion; le capitaine Roy et cet énergumène de cardinal Raillaine allaient m'en faire voir de toutes les couleurs, cela devenait aussi probable que le coït de Cléopâtre dans le rêve de tout un chacun.

Ah! que j'eusse donné toutes les paroles du royaume pour ne pas être seul dans la camisole de ma liberté, pour avoir Loulou toute de nudité habillée, m'embrassant à corps perdu et me souhaitant la bravoure des ancêtres chercheurs dans le succès de ma difficile entreprise.

Tel n'était malheureusement pas le cas. La pauvre

Loulou, au dur moment que j'avais moi-même à vivre, était tout écartelée dans ses fers, si peu nourrie que pas, au donjon de l'Île Sainte-Hélène, là tout près, entre Montréal et Longueuil.

«Saigneur», fis-je à l'adresse de ma propre déroute qui prenait de sanguinolentes allures intérieures.

L'homme qui me reçut, un dénommé «Forguette me not», me souhaita en quelque sorte la bienvenue à bord du navire méphistophélique.

«Si tu ressens de l'acracité pour les pommes de terre, moussaillon, soit le bienvenu à bord de notre rafiot.»

— J'en ressens, mon amiral, je n'ai jamais ressenti autre chose, lui répondis-je, en déposant mon coffre et en tentant de reprendre le souffle.

— Tant mieux, me fit-il, tout en dépeçant sa morue et en dégustant, tout à la fois, une grosse prune oblongue de couleur violet sombre, une quetsche, car c'est tout ce que tu auras à te mettre sous la dent», ajouta-t-il, en croquant dans son fruit.

À le voir ainsi savourer ce qui, je m'en doutais bien, n'était que matière à narquoiserie, et allait, ainsi que toute autre victuaille, sauf l'une, m'être désormais interdite, le grain de senévé me montait déjà au nez.

«Hors les pommes de terre, point de salut», entendis-je persifler le cardinal Raillaine, à l'intérieur de mon âme, ou de ce que, je ne peux que le présumer, me fait figure de.

L'ancre, bleue, fut levée, ainsi que de sa bouteille. Le tanguis, qui n'est pas plus français que le mot impossible est québécois, roulait, et j'arrivai sur le pont, croyant en perdre la berlue, tant grand fut mon étonnement; on ne gréait pas, ma pôvre foi du bon dieu, on dégréait le navire de ses agrès, de ses vergues, de ses mâts, de ses manœuvres, dormantes et courantes.

Je crus, si je peux me permettre cette prochaine

digression apte à symboliser mon ahurissement, perdre le bond du sens, pareillement à ce chevreau qui, au milieu de l'une de ses gambades, se voit contraint à prendre la forme d'un saint Jean-Baptiste sur son char allégorique, se demandant lui-même qu'est-ce qu'il fait là, et qui souhaiterait d'être décapité plutôt que de connaître le baptême de l'eau en train de se réaliser pour sa male fortune, et en plus, un coup de vent allait emporter mon galurin qui flottait maintenant solitaire sur la mer elle-même en gambades.

C'était à peu près mon premier voyage en haute mer. Bien sûr, j'avais déjà navigué, mais sur les eaux peu houleuses d'un lac, il y avait de cela plus que longtemps, sous la surveillance de mon grand-père, le cher et prudent Télémaque Bonin, maintenant aussi défunt qu'un crabe qui s'assèche sous l'ardeur du soleil soulevant le voile de la marée.

«Abracadabrant», me fis-je, tout en assistant à la scène du dégraiement.

«Abrutissant?» entendis-je le cardinal Raillaine railler dans mon moi fort for intérieur et divisé d'horreur.

«Un bateau qui prend le large tout en dégrayant, c'est un peu comme une femme qui se marie en ceinture de chasteté et qui en a perdu la clef», m'ajoutai-je, à part moi, avec toute la sous-estime que je vouais au capitaine Roy qui riait, l'absurde, sur son gaillard d'avant, sa lunette collée sur le néant.

Le ciel, mauve comme vulve de pieuvre, engrossait les nuages et s'amusait à prendre des formes aquatiques devant la chair de la lune qui s'avançait, d'aventure, à en crever son orgasme le plus quotidien.

Bientôt, le navire pénétra et déchira la toile blanche de l'incandescente planète, et le soleil nous apparut, tout lunaire, mais jaune comme de l'or.

Au loin, la main de Dieu apparut, alors qu'un

homme s'approchait de moi, des brosses et un seau d'eau à la main, et qui me demanda mon nom.

Je ne m'en souvenais pas.

Je répondis n'importe quoi, le chevalier de Mornac, je crois.

— Et-vous? lui demandai-je?

— Joseph Marmette, crut me répondre l'individu, mais le doute subsiste encore, au large de ma mémoire hélicoïde.

Ainsi dura le voyage, pendant des semaines à venir, brossant tout ce qui avait la ressemblance d'un plancher de bois de pin, en compagnie du chevalier de Marmette, un très aimable compère, qui me sauva de la cale et de ses rats à quelques reprises, comme nous serons à même de le constater par la suite.

Au soir venu, je lisais Cendrars.

Marmette, quant à lui, se délectait de Shakespeare, et particulièrement du *Macbeth,* «la pièce de théâtre la plus éminemment mysogine que Dieu ait permise», me disait-il, où l'auteur a poussé jusqu'au plus profond de lui-même, l'admirable besoin qu'a l'homme de se croire non issu du ventre de l'éternité nommée femme.

À la nuit tombée, des aurores boréales striaient d'éclair la désolation du firmament, et je priais pour que Dieu n'existe pas: je rêvais à Loulou, au juteux jardin de sa chair en Hespéride, à son ventre plus doux que le miel des grands soleils.

Le capitaine Roy me vouait beaucoup d'animosité, difficile de dire pourquoi; à cause du son de ma voix?

Peut-être.

Ou parce que je ne mollardais pas?

En effet, sans que cela ne soit écrit nulle part, le fait de mollarder, de cracher, ce qu'au Québec nous appelons des «morviaws», faisait de son homme, un allié de la vulgarité et du capitaine Roy.

Or, je ne mollardais pas; cela pouvait me créer des ennuis, puisque le capitaine (Roy) avait l'habitude absolue de se draper dans les bras immondes de la vulgarité, afin de régner; c'était comme ça. Les crachats de son équipage remplaçaient en quelque sorte ses absences visuelles et le sécurisaient, comme s'il y avait eu, derrière les renâclements humains, un rythme, une compassion, qui servaient à l'aveugle, d'antenne pour se diriger.

Heureusement, Marmette crachait pour deux, et avait des dispositions pour contrefaire les sons, si bien que l'aveugle n'y vit que du feu.

Pendant toute cette époque, c'est-à-dire durant une quinzaine de jours, le bateau voguait toujours vers sa dérive, et ne semblait pas s'en porter plus mal.

Le temps avait la platitude d'avant Copernic, plus docile que la montagne de Mahomet.

Seul, un blanc cachalot, comme par hasard, faisait parfois un saut dans notre Coquecigrue, histoire de nous faire part de ses maladies d'ordre pulmonaire qui le rendaient d'humeur à tout le moins très sombre, avec des envies suicidaires accrochées aux souffles de sa vie.

«Naye-toi», l'adjuraient les hommes d'équipage, en bonne amitié, tandis que le cachalot, tout triste, rêvait de posséder des épaules, afin de pouvoir se les hausser.

Enfin, des récifs s'annoncèrent, à la vue desquels nous ne pûmes que pousser d'immenses et primordiaux hourrah, grâce à leurs significations dernières, qui ne laissaient aucun doute sur le champ magnétique au centre duquel nous nous trouvions, et ordre fut donné de jeter l'ancre au plus sacrant.

On était le 20 mai 1506, comme d'habitude sans que je ne m'en sois aperçu, jour de la mort de Christophe Colomb, et notre rafiot, là tout près, avait des allures d'ancienne goélette, ou peut-être, je ne peux le certifier, n'en ayant jamais vu, de chébec.

Tout à coup, Dieu se décida, et il commença à monter aux cieux.

Je n'eus que le temps de prendre mon eustache et de lui couper la main gauche, qu'Il disparut, le pauvre manchot, à notre vue médusée d'émerveillement.

Après quoi, nous regagnâmes le navire.

Je pris cette main, et avec beaucoup de fermeté avant qu'elle ne sèche ou qu'on me l'enlève, je la lançai à travers les âges, jusqu'en 1837, où un dénommé Philippe Aubert de Gaspé, mon ami, la reçut et s'en servit pour écrire *Le Chercheur de trésors ou l'influence d'un livre*, le premier des romans québécois, à ce qu'on dit.

Puis, lorsque le Coquecigrue mouilla, ainsi qu'une femme, dans le port de Montréal, bien des années avaient passé, quatre cent soixante-seize années, plus précisément, et nous étions le 20 mai 1980, jour commémorant l'Ascencion de Leur Seigneur Jésus-Christ, et aussi du premier des référendums nous invitant à nous prononcer sur l'avenir du peuple québécois.

J'allai délivrer Loulou, n'en ayant même plus envie, ne sachant donc plus tout à fait pourquoi, me laissant porter par l'instinct du souvenir de notre amour; le cardinal Raillaine, la mort dans l'âme, fut bien obligé de nous unir, ô saint Tartuffe, comme toujours condamné à en vouloir à sa mère jusqu'à la fin de ses jours, ainsi que Vulcain à la sienne, d'après ce que raconte la légende, pour la punir de l'avoir fait si laid.

□

Le jour où j'embarquai sur le Coquecigrue pour la seconde fois, le soleil plombait à m'en faire fondre les ailes, et j'étais, Icare, victime des dieux, eux-mêmes honnis par les hommes. Le navire changeait de nom, et d'espace; il allait maintenant se nommer *Le Chasse-*

galerie, fendre l'air plutôt que les grandeurs océanes, et diriger son cap non plus vers le passé, mais vers l'avenir.

Oedipe sortait vainqueur de mon grand questionnement.

J'avais voulu le faire mien, mais l'arme de l'écriture s'était retournée contre moi, et il m'avait fait sien.

Nous arrivions à Saint-Eustache, comté des Deux-Montagnes, ville qui dans mon esprit, depuis déjà long de temps, symbolisait le Colone québécois, où Oedipe, conformément à la légende, serait enlevé par les trois Érinyes aux yeux des hommes.

Un fait divers, rapporté par les journaux, avait jadis frappé ma vagabonde imagination; cela prétendait, si tant qu'un fait divers puisse s'exprimer, dessous sa cotte de mailles cancanière, qu'une soucoupe volante avait été aperçue, aux abords de cette petite ville où le docteur Jean-Olivier Chénier, le mémorable patriote, était mort les armes à la main.

Au matin, dans un terrain de golf avoisinant, le gazon brûlé en une forme admirablement circulaire, avait intrigué les habitants et les avait certifiés dans leurs convictions visuelles, qu'il y avait eu de la visite rare à la nuit précédente.

Je voulais faire embarquer Oedipe Roy, le vieil aveugle, sur ce navire volant, plus ou moins bien identifié.

Ainsi je fis, et me retrouvai, seul, avec le très vague désir, avec le sacré désir de devenir comédien, et ce texte dans la main, maintenant achevé, et qui, dans l'esprit de mon personnage déjà disparu, s'intitule *Le Testament d'Oedipe Roy.*

NOLI ME TANGERE

ESSAI

VINGT-SIXIÈME VISION DU MYTHE

Le masqu'ulin

Holà! Holà! pourquoi tarder, Œdipe, à nous mettre en route? Voilà longtemps que tu nous fais attendre.

Sophocle,
Œdipe à Colone

É crire, vagir, sur la réalité œdipienne, m'aura surtout permis de m'interroger sur deux aspects de la vie qui se rejoignent. Le premier touche à une recherche qui entoure le rôle de la famille; qui est qui, au sein de ce noyau?

Le second mettait en scène l'auteur d'un livre face à ce qu'il écrit, aux personnages qu'il tentait de camper, face au métier d'écrivain. La fascination qu'exerce sur moi le mot écrit, j'ai tenté de la décanter, et aussi de chercher ce qui m'apparaît le plus digne d'intérêt ou le plus obsédant, dans mes occupations journalières.

C'était une invitation à descendre aux Enfers, là où on entend souvent dire: «Fais un homme de toi», mais pour ainsi dire jamais: «Fais une femme de toi». Comme si d'être une femme, ce serait un état, du même style que «nous vivons tous sur la même terre», mais qu'être un homme, cela se conquiert, ainsi qu'un pays.

Il était une fois quelqu'un qui est allé trop loin, incapable de respecter l'adage «de la mesure en toute chose», et ce quelqu'un, c'est l'homme œdipien.

«Les gens heureux n'ont pas d'histoires.»

Lord Durham avait peut-être raison d'écrire, en 1838, que nous étions un peuple sans histoire et sans littérature; ce qui me pousse à me demander si le complexe d'Œdipe, pour une société donnée, ne devrait pas être relié au passage de la tradition orale à celle de

l'écriture? Ce ne serait par conséquent pas un hasard si
Œdipe est né au théâtre, art qui relie les deux traditions,
non plus que l'Œdipe de Sophocle ait été aveugle, tout
comme Homère, selon la légende.

De plus, l'apprentissage de la langue, chez un enfant,
l'éloigne du paradis perdu que symbolise le ventre maternel, et par ce fait, on peut comprendre que l'individu se
représente la culture comme un accessoire qui l'éloigne-
rait du bonheur; moins on en sait, mieux c'est, telle n'était
pas en quelque sorte, une devise chère à Maurice
Le Noblet Duplessis, digne représentant d'une époque
qui perdure et où l'autruche semble parfois l'animal le
plus apte à servir d'emblème aux Québécois.

Le hic, c'est que le temps fait son œuvre, allégrement, et que le langage, même celui «des fleurs et des
choses muettes» est le seul moyen que l'on a de nous
exprimer.

Cette prise de conscience me fait rattacher le mythe
œdipien à un animal fabuleux, l'amphisbène, dont le
dictionnaire nous apprend qu'il s'agit d'un serpent à deux
têtes, sans pattes, dont les deux extrémités sont très
ressemblantes, se déplaçant dans un sens ou dans l'autre,
et je me demande si je n'ai pas été particulièrement
intéressé par le degré d'audibilité d'un texte, par rapport à
son premier lecteur, l'écrivain, par rapport aux seconds
lecteurs qui réaffirment en quelque sorte l'œuvre à
chaque fois; c'est ce va-et-vient entre l'intériorité et l'exté-
riorité, l'antériorité et la postérité qui m'a semblé le plus
me fasciner pendant l'écriture d'*Oedipe*.

Dans la première vision du mythe, Rodolphe Du-
mont donne la mort à son père, vers trois heures de
l'après-midi, jour du Vendredi saint et couche peu après
avec une femme qui ressemble beaucoup à sa mère; si je
réintègre cette vision dans la réalité d'où elle est d'ailleurs
issue, je suis contraint de m'apercevoir que dans cette

réalité, les pères sont plus associés au Fils que les fils; ce qui complique encore plus les choses, c'est qu'en même temps, il y a une émergence du fait québécois, associée à la génération des fils plus qu'à celle des pères, en autant que c'est le Québec qui est à l'intérieur du Canada, et non l'inverse: en somme, on sort de notre ancien testament pour y entrer, mais cette entrée, cette entrée maudite, ou cette maudite entrée? ressemble à une sortie.

Ce va-et-vient entre la primordialité accordée au passé, et la cordialité avec laquelle on accueille l'avenir, malgré nous, où la religion et le politique se bousculent pour savoir à qui appartient l'âme québécoise, c'est ce dont j'ai eu à traiter durant mon *Oedipe*.

On ne peut pas renier son passé, ni rogner indéfiniment sur l'avenir; ainsi, je peux croire que la politique a pris une envergure mythique, que nos énergies pourraient se dépenser bien mieux ailleurs, ou tout au moins se canaliser autrement, et il en va ou en a été de même pour la religion; cette affirmation énoncée, il n'en reste pas moins que ces deux considérations ressemblent à ce qu'Œdipe a pu se dire, lors de sa comparution, lorsqu'il a appris la vérité sur ses origines. Il n'a pas été toujours très heureux, Œdipe, ni très chanceux, oserais-je ajouter, et c'est ce qui fait que l'on s'est intéressé à lui; il est un peu tout le monde dans ce que chacun a le plus de misère à assumer, notre bosse intérieure, et pourtant, il n'a pas même existé, c'est le fruit de l'imagination d'un poète grec; et encore là, il y a dichotomie entre l'importance accordée au rêve et celle qe l'on vent bien se voir accordée par la réalité.

Il était une fois quelqu'un qui est allé trop loin, ainsi aurait pu commencer un roman inspiré par le grand mythe grec.

Le petit Poucet et ses frères, l'inconscient.

Les mille et un chemins que j'aurais pu faire prendre

à mon héros, ou plutôt qu'il aurait pu m'inviter à suivre, si j'avais eu plus de docilité, d'expérience, de je ne sais quoi, demeurent sans doute ce que je regrette le plus par rapport à ma toute récente œuvre littéraire.

Un exilé de naissance, dont la fin préfigure l'éternité.

En tentant de jeter un regard distancié sur ce que j'ai écrit, je crois pouvoir affirmer que je me suis interrogé sur les liens existant entre le regard et ce que celui-ci s'approprie par rapport à celui qui le porte. Mais c'est le regard d'Antigone que j'aurais aimé voir s'étaler tout au long de mes contes, regard teinté de son imaginaire; la promiscuité qui la tint auprès de son père, pendant leur longue marche vers Colone, était ce qui m'apparaissait le plus digne d'intérêt, le plus apte à procurer de l'unité à mon texte, mais aussi ce dont j'avais le plus peur. En interrogeant le sphinx, il faut croire que c'est son propre personnage que l'on interroge.

Finalement, ce ne sera qu'à partir de la seconde partie de mon texte, qu'Antigone entrera vraiment en scène, à coup d'incantations.

Parmi les raisons que je peux déceler et qui m'ont fait choisir Œdipe pour sujet, il y a également tout ce qui touchait au sacré, et particulièrement la fin d'Œdipe, l'*Œdipe* de Sophocle, s'entend, que je trouvais bien mystérieuse, tellement que je ne parviens pas à appeler cela une mort.

En effet, Œdipe, grand coureur d'absolu, a disparu corps et âme; pour un homme, c'est plutôt rare.

Seul Thésée fut témoin de cette disparition, tout comme on peut croire qu'il n'y eut que Jean l'Évangéliste, le disciple favori de Jésus de Nazareth, qui, grâce à ses visions, a pu nous faire parvenir le dernier souvenir visuel que nous pouvons avoir de la venue de son Maître et ami. Mais Œdipe, lui, n'a pas réellement existé, il fait partie du domaine onirique, et dans mon cas, il y avait l'humour derrière lequel je pouvais le draper.

Avant de procéder à une analogie entre Œdipe et Jésus, car j'ai fait mention de Dieu trop souvent dans mon roman pour ne pas en chercher la cause, il me faut bien écrire sur l'humour, puisque qu'à l'origine cet essai devait se titrer *L'humour et la tragédie.*

> Nous avions apporté dans
> nos poitrines le cœur des
> hommes de notre pays, vaillant et vif,
> aussi prompt à la pitié qu'au rire,
> le cœur le plus humain de tous les
> cœurs humains; il n'a pas changé.
>
> Louis Hémon

Il me semble évident que j'ai cherché, dans *La vie et l'œuvre d'Oedipe Roy,* à diriger mes énergies de conteur dans tous les azimuts, et que sans l'humour, je n'aurais pas pu traiter de plein front un sujet aussi grave que l'Œdipe.

Parce que l'homme d'aujourd'hui est, du moins en apparence, beaucoup plus tiraillé que celui d'autrefois: les sillons se font rares, pour les cultivateurs urbains de l'an 1980; j'ai donc tenté de lui trouver une identité, à cet homme, par rapport à ce qui l'unifiait dans un jadis encore proche, la famille, la religion, la patrie.

Quant à l'humour, je ne saurais expliquer sa présence, c'est comme pour la langue, sinon qu'il faut du ciment si l'on veut que les briques de la maison tiennent ensemble.

J'aurais fait Babel, sans l'humour, patate, si vous préférez. Par ailleurs, en relisant le texte écrit lors du dépôt de mon sujet de thèse, en rapport avec ce présent essai, je trouve ceci:

> Je tâcherai, dans cet essai, de m'interroger sur les culpabilités qui oppressent l'homme d'aujourd'hui, et de répondre à cette interrogation en la reliant au désir qui

engendra le mythe d'Œdipe dans la conscience de l'humanité, mythe qui prit naissance à une époque où les hommes se sentirent le besoin de punir l'un des leurs du pouvoir de comprendre le réel.

Je suppose que telle était, d'une manière sous-jacente, ma compréhension de l'Œdipe; or, ce propos, sans l'humour, aurait été bien trop grave; il aurait abouti sur le parvis d'une thèse universitaire d'un quelconque département d'une non moins quelconque philosophie.

D'expliquer le pourquoi, ou la nécessité de la présence d'un ton humoristique à l'intérieur d'un sujet aussi grave que l'inceste, m'amènerait à devoir prononcer un jugement face à ma satisfaction ou à mon insatisfaction, en tant que membre d'une société donnée.

Cela n'est pas directement du ressort de la littérature, mais plutôt de celui de la psychologie, de l'anthropologie, de l'etcétéralogie, ou d'autres sciences toutes aussi inexactes.

Si j'essayais d'écrire pourquoi j'ai honte, ou le pourquoi de ma fierté, face à cette société de consommation abondamment axée sur le concept de profit, je n'en aurais jamais terminé.

Ce que je peux toutefois signifier, c'est qu'entre l'être et le non être, l'avoir et le non avoir, collectivement ou pas, il y a des liens qui ressemblent sans doute à ceux qui relient la mère au nouveau-né, et vice-versa.

L'engrenage, le piège œdipien, est fondamentalement maçonné au souvenir de l'époque originelle; le sein maternel, que d'aucuns ne sauraient voir sans crier au meurtre, est ici au centre des préoccupations reliées à l'Œdipe; objet de haine et d'amour, au début, le sein, par ce qu'il symbolise économiquement, est en train de se métamorphoser en objet de luxe; mais même si le langage est subséquent à l'économie, un auteur peut espérer rejoindre le but fixé, ici c'est le phantasme

œdipien, en se fondant à son art; la distance nécessaire à
l'opération créationnelle viendra par surcroît, tout naturellement.

Ainsi, par exemple, le fait d'associer deux expressions presque semblables, m'amènent à tenter de comprendre de quelle façon cette société se déculpabilise; ces
deux expressions ont rapport aux mieux nantis, que l'on
nomme les «grosses légumes», et évidemment aux plus
démunis que l'on appelle simplement «des légumes».

Entre les pulsions de vie et celles reliées à la mort, il y
a continuel tiraillement que, pour ma part, j'ai voulu
désamorcer par le biais du rire, tant que c'est encore
possible, puisque demain est incertain. Cependant, cette
arme, comme on le sait, est dangereuse, et peut aisément
se retourner contre son auteur.

À la limite, le ridicule tue, et peut-être parfois, bien
avant la limite. Il me vient un exemple qui m'apparaît
apte à décrire les dangers auxquels cette arme peut
soumettre quiconque s'en sert, c'est celui du lest, en
ballon dirigeable: dès que le vent se lève, on aurait besoin
de ce que l'on avait laissé tomber auparavant, mais qu'à
cela ne tienne, il est déjà trop tard.

L'humour est lié à la loi de la pesanteur; il libère,
mais au risque de tout diluer.

«Je vois, dit l'aveugle.»

L'analogie entre Œdipe et Jésus mérite également
d'être regardée de plus près.

Juste avant de disparaître, Oedipe reçut la visite de
son fils aîné, Polynice; ce dernier mit en doute la nature
pleinement adulte de ce père incestueux, de la même
manière que les Québécois peuvent être perçus par l'ensemble des collectivités souveraines qui forment les
nations de la terre.

Parallèlement, génétiquement parlant, il devait sans
doute être écrit qu'Œdipe et ses fils ne s'entendraient

pas, qu'ils se ressemblaient trop, qu'un chaînon manquait pour qu'ils puissent s'apprécier convenablement, pour que la distance nécessaire au dialogue soit possible.

Et Œdipe jeta ses anathèmes, tout comme l'oracle avait averti Laïos de ne pas avoir d'héritier mâle.

C'est peut-être ce qu'il souhaitait le plus intensément, Laïos, et il faut alors se demander quelle peut être l'influence de la psyché sur les dieux.

Dans le cas présent, bien des raisons peuvent nous faire croire que Laïos souhaitait sa propre mort.

Par gentillesse pour Jocaste, afin qu'elle puisse avoir dans sa vie un autre homme que le vieux bougre qu'il était en train de devenir, les hommes vieillissant tellement plus rapidement que leurs compagnes, la plupart du temps.

Par amour pour la mémoire de leur fils qu'il croyait avoir fait disparaître.

Par jalousie, quoique ce dernier sentiment, c'est sans doute de l'amour qui échoue.

En somme, lorsqu'on traite d'Œdipe et de ses relations avec le monde, tout devient possible, puisque par-delà les oracles, il reste libre; encore est-il bien difficile de se connaître, comme nous le rappelle l'histoire de Diogène et de sa lanterne, cherchant désespérément un homme, pas deux, un, en plein jour, et qui ne le trouve pas.

Quand Sophocle a écrit, il visait le maximum de crédibilité; le but ultime et premier des arts narratifs est d'être cru.

Le désir ultime mais non pas premier de Laïos aurait été de mourir par la main d'Oedipe; sous-jacent à ce désir, il y a sans doute celui, impossible à réaliser, d'être enceinte, de se faire baiser par Jocaste.

D'ailleurs, je ne suis guère féru en termes psychanalytiques, mais le lecteur comprendra assurément, lorsque

j'indiquerai qu'il y aurait là comme un transfert, à l'intérieur duquel se meut la faute Laïossienne, celle d'avoir eu
des relations dites «contre-nature» avec un dénommé
Chryssipos.

On est puni par où l'on a péché, comme d'habitude,
ce qui revient à dire que si Oedipe a couché avec Jocaste,
c'était par peur, surnaturelle ou pas, d'avoir des relations
avec Laïos; c'était comme qui dirait moins pire.

Oedipe abandonna Polynice à son sort, juste avant
de disparaître.

On retrouve la même sorte de toile de fond dans
l'histoire de Jésus de Nazareth, d'après certains documents que j'ai pu fréquenter: le Christ aurait été mis à
mort pendant une fête juive, à l'intérieur de laquelle
pendant une journée, ou plus? on permettait à un
criminel de se prendre pour le roi, après quoi on l'im-
molait.

Coïncidence, le nom de Barrabas signifie «Fils du
Père», et le Galiléen, en expirant, aurait demandé à son
père pourquoi ce dernier l'avait-il abandonné?

Jésus savait ce qui l'attendait, mais pas Oedipe,
selon leurs histoires respectives; Oedipe n'ayant par
conséquent personne pour être cruel à son égard, s'enleva
la vue, et c'est à partir de ce moment, à cause de sa
prochaine et mystérieuse disparition, qu'on peut croire
qu'il assuma sa part de sacré qui rivalisait avec sa part
animale.

Le grand danger pour Oedipe semble avoir résidé
dans l'héroïsme; sauver autrui; alors que l'on est irrémé-
diablement seul.

On retrouve le même genre de toile le fond que celle
évoquée dans les histoires d'Oedipe et de Jésus, au sein
de mes contes, ce qui procure plus d'un niveau, plus
d'une dimension à l'action; les livres, le délire, le rêve, une
lanterne, servent de mères gigognes à tous ces dédouble-

ments, lesquels me ramènent au sacré, à ce qui dans le sacré, crucifie l'homme, et le trompe, cette tendance, vieille comme le jour, qu'il a de vouloir immobiliser le réel.

Vers la douzième vision du mythe, à mi-chemin, je me suis retrouvé en panne sèche, et c'est grâce à une lettre cachée au fond du lac Tibériade, à Sainte-Véronique, dans les Laurentides, lettre elle-même cachée au fond d'un coffre, que mon récit a pu retomber sur ses pattes, et prendre son envol, en donnant naissance au Bossu de Notre-Dame, made in Québec, ainsi qu'à une Antigone que j'aurais voulue, dès les premières visions, beaucoup plus importante.

Les deux plus grandes craintes de l'humanité sont sans doute, d'une part, d'avoir à vivre le dénuement qui la ramènerait à l'insécure époque des origines, et, sur un plan personnel, de repasser par le traumatisme de la naissance.

Le docteur Jacques Ferron, dans je ne sais plus lequel de ses ouvrages, fait dire à un de ses personnages que le cardinal Léger et ses pareils ne sont pas sans espérer la fin du monde; si j'ai bien compris, cela signifierait que les croyants préféreront voir se réaliser le Jugement dernier, plutôt que d'assister à la désintégration de leur religion.

L'amour peut aussi bien étouffer, aboutir au fanatisme, qu'à son contraire. On aime mal, on ne sait pas aimer; bref, interprétons cela comme on veut, il y a une bonne part de l'humain, aspiré par sa propre fin, qui souhaite, consciemment ou pas, l'avènement de l'Apocalypse, dût-elle, cette apocalypse, être personnelle, toucher des êtres qui nous sont proches.

Ce qui m'amène à me souvenir de la phrase sur laquelle je me suis arrêté pendant longtemps, au début de ma création littéraire sur Oedipe.

C'était «Je suis Oedipe, mâle heureusement».

Oedipe, l'homme qui se trompe par excellence, l'aveugle, jeta des anathèmes à ses fils, et se tint tout près de ses filles, sur la fin de ses jours. On peut croire que Jocaste aurait agi de la même façon, mais inversement; en somme, il n'hésite pas à les envoyer se battre, ses garçons; ce serait donc en rapport avec les préférences pour le sexe opposé que se situerait l'injustice dont Oedipe fut victime, et qui engendre, dedans son cercle, révolte et violence.

L'événement apocalyptique, le suicide, le meurtre, la fin du ou d'un monde, s'il survenait, règlerait bien des problèmes, ce serait vite fait; ainsi que l'avortement, l'euthanasie, et l'aveuglement, ce dernier étant comparable à la castration.

Le mythe d'Œdipe enclenche un pouvoir de culpabilisation assez pesant; à la source, il y a la peur des dieux, qui peut se traduire par l'amour pour le genre humain, surtout pour ceux qui sont issus de notre sang, avec tout ce que cela comporte de cognations, et par la crainte d'être dépassé par le fils, la peur de mourir, d'être tenu responsable de sa propre mort, dût-on être roi et enfant de roi.

Ainsi, celui (ou celle? Où est l'époque bénie qui nous montrera une femme astreinte à de telles futiles occupations? se demande l'humour noir) ou ceux qui seraient à l'origine de l'Apocalypse, parce que devant gagner leur vie comme opérateur (trice) de bouton quelque part dans une centrale atomique, n'aurait qu'à invoquer, le court instant qu'il nous resterait à vivre, tout comme ce fut le cas pour Oedipe, l'incapacité de passer à côté de la fatalité, des ordres reçus.

> Il n'est pas de mortel qui échappe à son sort, quand un dieu l'y conduit.
>
> Sophocle

Le dieu, ici, serait le président des États-Unis, ou le Soviet suprême, et tout ce qu'ils représentent (nos opérateurs de boutons eux-mêmes).

L'aventure d'Oedipe apparaît donc, après l'hésitation première, celle qui fit prendre la décision à Laïos et Jocaste de déléguer à un berger le pouvoir de vie et de mort qu'ils détenaient sur leur enfant, du domaine de l'irréversibilité (le trop loin précédemment évoqué), de l'irresponsabilité, de l'insconscience, jusqu'à ce que, bien des années plus tard, le destin prenne sa revanche.

Il n'en va pas autrement pour *La vie et l'œuvre d'Oedipe Roy*.

Assurément que j'ai dû écrire ce texte des milliers de fois, en moi-même, avant d'y donner forme; et je ne me suis pas fait de plan, avant de commencer, j'ai écrit, pour ainsi dire, sur du vide, poussé par l'inconscient, dieu du sort. Ce qu'il y a de plus cruel, dans ce mythe, c'est justement cet aspect inconscient qui me pousse à demander, par exemple, si Judas peut être tenu responsable de sa trahison.

Je ne suis pas théologien ni philosophe, mais c'est tout de même de culpabilité qu'il s'agit le plus, lorsqu'on touche à ce mythe, culpabilité liée à la paternité d'un geste, d'un acte, liée à l'immolation que représente toute œuvre d'art, pour son créateur.

Ce qui vient ajouter de la crédibilité à ce que je viens d'affirmer, c'est l'évolution du personnage Antigone, laquelle n'arrive pas à prendre naissance, sans doute parce que la femme est, jusqu'à un certain point, perçue comme étant l'antre du péché, et que mon texte voulait liquider, autant que faire se peut, le complexe d'Œdipe d'un Québécois, qui, dans son enfance, était un Canadien français vivant dans une atmosphère fortement influencée par les clercs qui portaient, est-il utile de le rappeler, des robes (noires).

La Mère de Jésus, tout comme son Rejeton, serait également montée corps et âme vers le firmament: elles n'ont pas toutes cette chance, les mamans: la mère d'Oedipe ne l'a pas eue, cette chance, et elle s'est suicidée, incapable d'assumer sa détresse; elle n'est pas une vierge blanche, si je peux me permettre cette expression, elle serait plutôt une vierge noire, ce qui la relie à ce qu'il y a de plus profond et non pas à ce qu'il y a de plus aérien, chez l'être humain, à ce qui touche à l'enfantement interdit par les dieux, au bout de la ligne, à l'Antéchrist.

Par ailleurs, en ayant des relations sexuelles avec sa mère, on peut croire qu'Oedipe a voulu réintégrer le paradis perdu, le Royaume du Père, qu'il cherchait le Père à l'intérieur de l'épouse qui devenait, pour lui, semblable à la Vierge de l'Évangile, car en étant victorieux de la Sphinx, c'est grâce à son esprit qu'il reconquiert sa toute première légitimité, celle de pouvoir être nu auprès de quelqu'un sans en éprouver de culpabilité, ou bien encore, celle de pouvoir écrire un roman qui s'intitule *La vie et l'œuvre d'Oedipe Roy*.

Plus près de nous, il y a le rêve des mères catholiques d'être semblables à la Mère de Jésus, et sans doute aussi, le rêve des hommes de faire des miracles, d'être un héros, le Sauveur.

Avant de passer au second aspect autour duquel gravite mon texte, le premier étant, on a pu le constater, d'ordre religieux, je ferai un bref constat des origines d'une situation qui touche tout autant au premier qu'au second aspect, qui est d'ordre politique.

Ce fait politique, qui a pris dans notre littérature des proportions mythiques, date du 13 septembre 1759; Vaudreuil et Montcalm ne s'entendaient pas comme des larrons en foire, mais plutôt comme Lévesque et Trudeau, et on peut croire, en lisant les documents historiques de cette époque, que le marquis français (Vaudreuil était canadien) manœuvra tellement maladroitement qu'il avait envie de perdre cette guerre, et la Nouvelle-France: ainsi, son «Je meurs content de ne pas avoir vu les Anglais entrer dans Québec» peut être interprété de plus d'une façon.

Là aussi, c'était d'abandon qu'il s'agissait.

Pour ma part, j'avouerai que pendant assez longtemps, j'ai rêvé de m'acheter une masse et de m'en servir pour fracasser le chef des statues de la reine Victoria qui honorent ma ville natale, Montréal, tant la situation politique m'a, pendant un certain temps, empoisonné l'existence.

Lorsqu'on lit les discours d'hommes politiques canadiens du passé, on s'aperçoit que plusieurs étaient encore plus royalistes que le roi; à les en croire, le peuple qu'ils représentaient, aurait été d'une fidélité à toute épreuve, vis-à-vis de la couronne anglaise.

Par ailleurs, on ne trouve rien, chez Sophocle, qui pourrait nous indiquer la conduite qu'Œdipe avait, chez ses parents adoptifs, Polype et Périboa, à Corinthe (ce dernier nom signifierait «la mal famée»), ni comment il fut traité.

Pas plus que l'on connaît le genre de relations qu'entretinrent Jocaste et Laïos, cela reste aussi mystérieux que la chambre à coucher des parents.

Chose certaine, c'est que j'ai fait un parallèle entre la situation politique canacquoise et celle qu'a pu connaître Oedipe par rapport à ses parents adoptifs.

Ce parallélisme, à mon sens, trouverait son aboutissement dans une pleine reconnaissance de la souveraineté du Québec.

En attendant, j'ai eu à choisir l'exutoire par lequel je pouvais espérer que mes énergies se libèrent.

Je n'ai finalement pas acheté de masse, j'ai écrit, à la

place, ce qui est bien mon droit.

J'ai écrit sur la difficulté que j'éprouvais à écrire, et je me suis exorcisé d'un fatras d'idées que je parvenais difficilement à débusquer.

Le fait d'appartenir à la génération de femmes et d'hommes qui sont le plus en faveur du projet souverainiste, et donc la plus ostracisée par les tenants de l'autre option, a pu sans doute entrer en ligne de compte, tout autant au niveau du projet d'écriture que dans sa difficulté à naître.

J'y ai d'abord vu, en accord avec beaucoup d'auteurs qui ont traité du mythe, un individu qui symbolise ce que l'on nomme communément le conflit des générations; mais j'ai également perçu, grâce à ce mythe, la possibilité de faire état d'une réalité, de la honte ressentie devant la misère qu'a pu connaître et que peut encore subir une bonne partie de la psyché québécoise. Le misérabilisme! Voilà, tout est dit? Non, il y a des nuances à apporter. Le droit de l'individu à poursuivre le bonheur est probablement beaucoup plus important que toutes les autres réalités, et cela se reflète dans bon nombre de mes contes.

Je n'ambitionne par conséquent pas d'enlever aux hommes le goût du bonheur, et de leur donner celui de la misère.

Quoique!

En choisissant d'écrire, et d'écrire sur Œdipe, je m'aventurais dans un désir de mieux me connaître, d'être plus conscient de ce qui m'importe, de ce que je trouve signifiant.

Le simple fait d'écrire équivaut à vouloir ouvrir les yeux sur des réalités parfois toutes simples, mais que plusieurs ne veulent pas voir, pour toutes sortes de raisons, et on peut même se demander — c'est l'envers du misérabilisme — si ce n'est pas préférable de laisser certaines gens dans l'ignorance, puisque les résistances sont si fortes.

En somme, l'écrivain, quand il s'engage ailleurs que dans sa tour d'ivoire, se condamne à servir de mauvaise conscience, reliée à sa capacité de pouvoir dire les choses, de présenter un miroir à ses concitoyens, avec tous les risques que cela comporte.

Là aussi, le grand rêve des hommes se rompt en deux grands courants émotifs, le premier se situant au niveau du désir de se suffire à soi-même, et le second, d'avoir des liens avec les autres.

L'incapacité de réunir ces deux niveaux conduit à l'échec œdipien, celui d'une profonde solitude où la naissance se condamne à l'oubli.

Le débat politique sur l'autonomie du Québec prend beaucoup d'énergies, mais on ne saurait minimiser l'importance de ce conflit.

Le sentiment d'appartenance à un coin de terre particulier rejoint celui d'appartenir à une famille et va de pair avec le sentiment de responsabilité. Le «famille je vous hais», d'André Gide, pourrait faire place à «patrie je vous hais», sans que le sens profond en soit changé.

Or, il se passe ceci d'étrange, c'est que depuis quelques années, les deux seuls mouvements qui ont semblé générer un regain dans la population, sont les mouvements souverainistes et féministes, et qui aboutissent au même désir, celui de l'affirmation d'un je, par rapport à un nous.

Au fond, les deux mouvements visent les mêmes objectifs, celui de se suffire à soi-même, mais encore faut-il savoir qui est ce soi-même, celui de cesser d'éparpiller ses énergies, mais encore faut-il avoir assez confiance en soi pour savoir où et comment diriger les énergies qui sont nôtres mais que l'histoire nous aurait momentanément enlevées, cette histoire très œdipienne qui voudrait que rien ne change, et que les fils continuent à réintégrer le giron maternel, séparés de leurs pères par l'insurmontable distance d'un meurtre, tout en se gavant d'exploits sportifs qui leur rappellent le père idyllique, et en acceptant un immense vide spirituel.

Quant aux femmes, on continuerait de les enfermer dans la cuisine, tout comme le Québec, qui, comme chacun le sait, est une prison.

Je terminerai ici cet essai, par une prise de conscience; j'ai peut-être fui l'inceste, dans mon roman, mais pour me laisser aborder par un certain mysticisme qui me fait écrire qu'il faut beaucoup de foi pour ne pas croire, qu'entre le chemin suivi et celui à prendre, il ne faut pas hésiter à prendre le second, que le coryphée chante déjà.

> Le coryphée: Assez n'éveillez plus de deuil. L'histoire ici se clôt définitivement.
>
> Derniers mots d'Œdipe à Colone,
> de Sophocle

Mais qu'Oedipe soit allé trop loin, plus loin que sa propre mort, peut-elle reculer? Oedipe, Oedipe, tu as oublié de parler du docteur Chénier et de Saint-Eustache.

Chut!

La terre a basculé et la mer a chaviré.

Montréal, mars 1979 – 8 décembre 1980

CET OUVRAGE
COMPOSÉ EN SOUVENIR LÉGER CORPS 12 SUR 14
A ÉTÉ ACHEVÉ D'IMPRIMER
LE VINGT SEPTEMBRE MIL NEUF CENT QUATRE-VINGT-TROIS
PAR LES TRAVAILLEURS DES PRESSES
DE L'IMPRIMERIE GAGNÉ LIMITÉE
À LOUISEVILLE
POUR LE COMPTE DE
VLB ÉDITEUR

IMPRIMÉ AU QUÉBEC (CANADA)